劉福春・李怡 主編

民國文學珍稀文獻集成
第二輯
新詩舊集影印叢編　第79冊

【李金髮卷】

微雨

北新書局 1925 年 11 月初版

李金髮　著

花木蘭文化事業有限公司

國家圖書館出版品預行編目資料

微雨／李金髮 著—初版—新北市：花木蘭文化事業有限公司，

2017〔民106〕

264 面；19×26 公分

（民國文學珍稀文獻集成・第二輯・新詩舊集影印叢編 第79冊）

ISBN 978-986-485-151-5（套書精裝）

831.8　　　　　　　　　　　　　　　106013764

ISBN-978-986-485-151-5

9 789864 851515

民國文學珍稀文獻集成・第二輯・新詩舊集影印叢編（51-85冊）

第79冊

微雨

著　　者　李金髮
主　　編　劉福春、李怡
企　　劃　首都師範大學中國詩歌研究中心
　　　　　北京師範大學民國歷史文化與文學研究中心
　　　　　（臺灣）政治大學民國歷史文化與文學研究中心
總 編 輯　杜潔祥
副總編輯　楊嘉樂
編　　輯　許郁翎、王筑　美術編輯　陳逸婷
出　　版　花木蘭文化事業有限公司
社　　長　高小娟
聯絡地址　235 新北市中和區中安街七二號十三樓
　　　　　電話：02-2923-1455／傳真：02-2923-1452
網　　址　http://www.huamulan.tw 信箱 hml810518@gmail.com
印　　刷　普羅文化出版廣告事業
初　　版　2017年9月
定　　價　第二輯 51-85 冊（精裝）新台幣 88,000 元　　版權所有・請勿翻印

微雨

李金髮 著

李金髮（1900～1976），原名李淑良，生於廣東梅縣。

北新書局一九二五年十一月初版。原書三十二開。

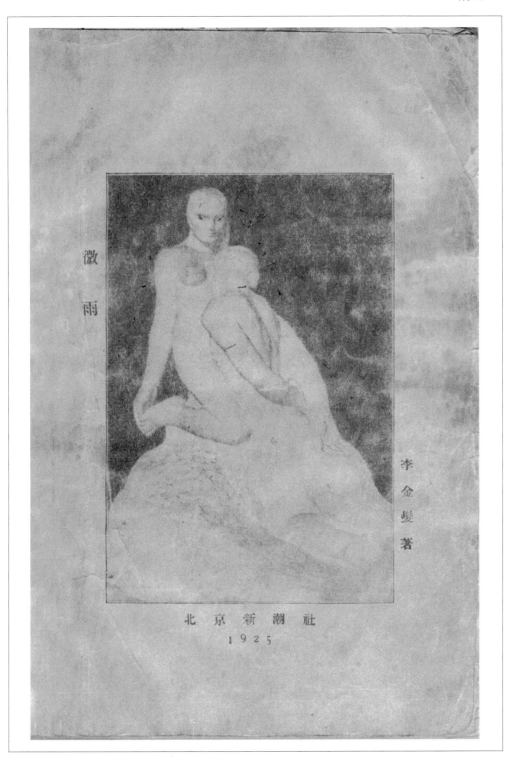

微雨

李金髮著

北京新潮社
1925

微雨

李金髮詩集

新潮社文藝叢書之八

導　言

雖不說做詩是無上事業，但至少是不易的工夫，像我這樣的人或竟不配做詩！

我如像所有的人一樣，極力做序去說明自己做詩用什麼主義，什麼手筆，是太可不必，我以為讀者在這集裏必能得一不同的感想一或者壞的居多一深望能痛加批評．

中國自文學革新後，詩界成為無治狀態，對於全詩的體裁，或使多少人不滿意，但這不緊要，苟能表現一切．

除揀了一九二十和二一年作的幾首詩外，其餘是近來七八個月中作的．我日忙碌於泥石中，每恨無力去修改他．

附錄中為各家之譯詩．因讀書時每將所好順筆譯下，覺其棄之可惜，故存之，或謬誤甚多，現無法去校對．以後亦不再

—1—

譯了.

　　本欲以新成的雕刻飾封面,因一時來不及,放把素愛之羅丹的 L'eternelle i-dole 去替代.

　　　　　　一九二三,二月栢林旅次.

棄婦

長髮披徧我兩眼之前，
遂隔斷了一切羞惡之疾視，
與鮮血之急流，枯骨之沉睡。
黑夜與蚊虫聯步徐來，
越此短墻之角，
狂呼在我清白之耳後，
如荒野狂風怒號：
戰慄了無數遊牧

靠一根草兒，與上帝之靈往返在空谷裏。
我的哀戚惟遊蜂之腦能深印着；
或與山泉長瀉在懸崖，
然後隨紅葉而俱去。

棄婦之隱憂堆積在動作上，
夕陽之火不能把時間之煩悶
化成灰燼，從烟突裏飛去，

—— 3 ——

長染在遊鴉之羽,

將同棲止于海嘯之石上,

靜聽舟子之歌.

衰老的裙裾發出哀吟,

徜徉在邱墓之側,

永無熱淚,

點滴在艸地

為世界之裝飾.

— 4 —

給蜂鳴

淡白的光影下，我們蜷伏了手足；
口裏嘆着氣如冬夜之餓狼；
腦海之污血循環着，永無休息，
脉管的跳動顯出死之預言。

深望黑夜之來，遮蓋了一切
恥辱，明媚，飢餓與多情；
地獄之門亦長閉着如古刹，
任狐兔往來，完成他們之盛會。

我願長睡在駱駝之背，
遠遊西西利之火山與地上之沙漠，
無計較之陽光，將徐行在天際，
我死了多年的心亦必再生而溫暖。

你！野人之子，名義上的朋友，
海潮上仇視之蛤殼與蘆葦之呻吟

—5—

將與情愛同笑在你之心靈裏，

或舞蹈在湖光之後，節奏而諧和也．

我愛你的哭甚於你的笑，

憂戚填塞在胸膛裏，露出老貓之嘆息．

你以爲"冷風怒號萬松狂嘯"

長天原野變成一片紫黛，如老囚之埋葬．

海深的世界之眼，滿溉着女人之淚，

任我們槳棹往來，荇藻生長，

惟太陽之光可使其乾枯在片刻．

但願既得之哀怨長爲意識之同僚．

奴隸之奴隸，還帶點微笑，

兩手靠在胸後似與人作揖．

捷克斯拉夫人之勝利與傲氣，

將到世界之終期而不衰歇．

欲出此羞怯之場所與煩悶之行程，

—— 6 ——

ᵉ

當學獅大人之四向奔競麼？

"一領袈裟" 不能禦南俄之冷氣

與深喇叭之戰慄

這是遊獵者失路之叫喊，

深谷之囘聲，武士之流血，

應在時間大道上之

淡白的光影下我們蟄伏了手足。

1922 Dijon

— 7 —

琴 的 哀

微雨濺濕簾幕，
正是濺濕我的心.
不相干的風，
踱過簷兒作響，
把我的琴聲，
也震得不成音了!

奏到最高音的時候，
似乎預示人生的美滿.
露不出日光的天空，
白雲正搖蕩着，
我的期望將太陽般露出來.

我有一切的憂愁，
無端的恐怖，
她們并不能了解呵.
我若走到原野上時，

—8—

琴聲定是中止，或柔弱地繼續存

小 鄉 村

憩息的遊人和枝頭的暗影,無意地與池
裏的波光掩映了;野鴨的追逐,攪亂水底
的清澈.

滿望閑散的晨田,普遍着深靑的葡萄之
葉,不休止工作的耕人,在陰處蠕動一幾
不能辨出.

呀!無味而空泛的鐘聲告訴我們﹁未
免大可笑了.﹂無量數的感傷,在空間擺
動,終於無休止亦無開始之期.

人類未生之前,她有多麼的休息和暴怒;
狂風徧野;山泉泛生白霧;悠寂的長夜,豹
虎在林裏號叫而奔竄.

無盡的世紀,長存着沙石之運動與萬物
之消長.

—10—

月　夜

可怖的空間之沈寂,
全浸在清澈裏:
有序,無序.

誰能再尋既失!
恨野花
搖蕩在風前.

幽怨,
深沉着心窩,
待流螢來照耀,

呀這平原,
細流,
禿樹,

短牆,

—11—

無恙的天涯,
蘆荻:

罪惡之良友,
徐步而來,
與我四肢作作.

幽幽之長夜,
留下點
惡魘深睡之影,

不許勾留,
何堪向邇.
心靈之長大!

稀細的星光,
閃爍在天之頂,
夾點微笑向我們.

—12—

留點神秘之願盼，
與惡魔之作揖，
同擾亂夜潮激蕩之音.

給 Zeaune

世紀上的泛動,

任不住你手兒指點麼?

人們不與上帝之盛會,

使你煩悶了.

二十春的落花,

污垢了你的靈魂,

砌滿了可貴之心田

與強暴不可攻的,人類相互的壁壘.

同情的空泛,

與眞實之不能期望麼?

無造物的權威,

禁不住如夜螢一閃.

大好的一似乎一智能,

不得在預期上嘗試,

—14—

年 日 告 終 時
亦 羣 鴉 般 污 損 在 殘 雪 裏．

—15—

下　午

擊破沈寂的惟有枝頭的春鶯，
啼不上兩聲，隔樹的同僚
亦一齊歌唱了，讚嘆這嫵媚的風光．

野榆的新枝如女郎般微笑，
斜陽在枝頭留戀，
噴泉在池裏鳴咽，
一二陣不及數的游人，
統治在蔚藍天之下．

旰豔冶的春與蕩漾之微波，
帶來荒島之暖氣，
溫我們冰冷的心
與既污損如污泥之靈魂．

借來的時光，
任如春華般消逝麼？

--16--

倦睡之眼，

不能認識一個普通的名字！

1920　Brugère.

里 昂 車 中

細弱的燈光淒清地照徧一切，
使其粉紅的小臂，變成灰白，
軟帽的影兒，遮住她們的臉孔，
如同月在雲裏消失！

朦朧的世界之影，
在不可勾留的片刻中，
遠離了我們
毫不思索．

山谷的疲乏惟有月的傍光，
和長條之搖曳，
使其深睡．
草地的淺綠，照耀在杜鵑的羽上；
車輪的鬧聲，撕碎一切沈寂；
遠市的燈光閃耀在小窗之口，
惟無力顯露倦睡人的小頰，

和深沈在心之底的煩悶.

呵,無情之夜氣,
踏伏了我的羽翼.
細流之鳴聲,
與行雲之飄泊,
長使我的金髮褪色麼?

在不認識的遠處,
月兒似鉤心鬥角的遍照,
萬人歡笑,
萬人悲哭,
同躲在一具兒,一模糊的黑影
辨不出是鮮血,
是流螢!

—19—

幻　　想

疾流穿過小石，喝喝作響，

晴春露出伊的小眼，

正倪視着

我的背脊和面孔，

我覺得孤寂的只是我．

歡樂如同空氣般普遍在人間！

長林後的靜寂，

惟日光斜照着

現出諧和．

野鷗又再來，

如同清晨紅霞的搖曳

無意的罷．

孩子，女人

裝出鬼臉，

—20—

都似乎沒有預期和決定，
女王的繡車連貫地
經過廣場，
嘆賞的人，
帶點疾笑，
而且不住的鼓掌.
呵!典禮告終了!

—21—

詩人魏崙 (P.verlaine)

你,海島上之暴主,
擁了野人之頁獻物,
倪視四周,
並厭倦女人之旋舞.
如優秀之孩童,
弄浪花於金色之海潮上,
隨處跳躍,如人之痛哭.

你倦臥於情愛之凹處.
低聲唱人類之命運.
迨稍徵疲乏了,
遂在日之盡處徐來.
呵,你斗大之頭,如帝之顱,
我僅能在畫圖上認識,
時給我泥污之氣.
我迷離於你之章句,與朋輩之笑聲
惜夫!黑色之木架,

我們既失其 Sens.

1922　巴黎

—23—

景

（一）

落日到了山後，

晚霞如同隊伍般齊集．

地面上除既謝的海棠外，

萬物都喜躍地受溫愛的鮮紅．

草莖上的雨珠，

經了折光，變成閃耀，

惟不如紫蘿蘭般

散漫地搖曳在風前．

我不知爲什麼，

總是凝望．

（二）

她們走了一步，

似不曾想到第二步了．

這不多得的晚景，

更使她們愈加停滯．

孩子在驢背上噓氣，

小鴿亦疊了羽膀

—24—

喘息在枝頭.

她們以後揮手,

各自去了.

我不知爲什麼,總是凝望着.

（三）

一天的早晨—

夜梟還沒有停止悲鳴,

月的餘光還在枝頭躑躅—

我漫步到河上;

細小的砂石

隨着急流旋轉,

汩汩的經過淺洛的岸;

野罌粟受了夜氣,

似乎也長得些了.

我不知爲什麼

總是凝望着.

（四）

新長的嫩葉,

在枝端站着,

隨長條的伸展

直到小道的中心.

當我頑皮地挨過枝下時,

多少新芽,

既損碎了

落在我的瘦肩上.

我仰頭一望

不能向青春訴我的悲哀.

（五）

噴泉下的水,

發出淡白的微霧,

孩子的木艇,

被風浪的推折,

蕩到此地也擱住了.

她的小冊子,仍是在指端旋轉,

鳥兒在草地上嬉戲的聲音,

使她頭兒轉過去,

雖思路打斷了

總是入神地望.

－26－

（六）

牽牛花的葉，比往日更長大了，

一簇一簇的固執地遮滿我窗後的天空；

—— 一二枝竟探進窗兒監察這沈寂，

使我不再見和風的行程聽夜鶯的歌唱，

我惟有待冬天回來，

親熱地訴我的悲哀．

—27—

心

夜色籠罩全城，
惟不能籠罩我的心.
他向牆角裏轉到平原，
一直進她夢寐裏，
帶着棍地與她親密.

陣雨的急迫，
羣衆的擠擁，
我心將迷失來路！

美神統治着一切，
但不回答.

一日心回來說：
"靜悄悄的大地
何處是親密恩愛？
她棕黃的頭髮，

—28—

是一簇荆棘；

她嬌媚的臉孔，

是惡魔的猺笑；

白羊皮的頸圍，

是亞細亞人的枷鎖，

當她靜寂而歌的時候，

我簡直不能懂──

是世界末日的預言，

是領人去戰爭的口號？

…………………………」

題 自 寫 像

卽月眠江底,

還能與紫色之林微笑.

耶蘇敎徒之靈,

吁;太多情了.

感謝還手與足,

雖然尚少

但旣覺夠了.

昔日武士被着甲,

力能搏虎!

我麽?害點羞.

熱如餃日;

灰白如新月在雲裏.

我有草履;僅能走世界之一角,

生羽麽;太多事了呵!

1923 柏林

東 方 人

廣大的海天上,她們團聚了若干世紀,

抱着祖宗之信條,食已熟之禾黍;

閉三尺柴門,深夜裏聽野猿上下.

小雀之言語,亦可明白如聽琴聲;

聰明的人,也時說天才創造者.

疾笑在哀戚裏,

痛哭在盛宴之側,

他們總以爲智慧是比愚昧可愛,

炎熱的沙漠之日光,使其流麗之眼,

黑于皮肉.是上帝的意思!

在不相識空氣之下清晨就唱着歌;

煙具燃在筆袼上,發出不可滅之香氣.

棕櫚迎風息息,他們抱了木琴,

節奏地舞蹈.—— 有時英雄愛上女僕.

掌火炬的人,血在脈管裏跳動,

,,Semble le rale épais d'un blessé

A Lowisky.

(一)

長帶着你女郎之眼,與民族之高鼻,

逃脫在朧朦之黑夜裏.

磨礪你的武具!

預備碎女神之首,

奈心頭之火焰,鋒尖在時光之耳後.

(二)

歡笑的鞭頭,剩下多少可愛.

你將因擁抱仇怨而折兩臂,

或曲肱在樂國之欄干上.

夜色將迅速地變換在眼前

狠羣在無盡原野上奔竄.

(三)

我將收拾我心頭黑暗之隙地,

安放你衰老之歎息.

吓少年多愛勝利,

國王之權力與屈服,

落下屠格捏夫之眼淚.

--32--

（四）

我們之靈，永來往在荒郊上，

可乾之墨跡，與羅馬古寺之短牆

同困斜陽之光而灰紫了！

重過凱旋門時不當再說：

C'est Beau !

9, 3, 1922.

—33—

夜 之 歌

我們散步在死草上，
悲憤糾纏在膝下．

粉紅之記憶，
如道旁朽獸，發出奇臭，

偏布在小城裏，
擾醒了無數甜睡．

我已破之心輪，
永轉動在泥污下．

不可辨之轍跡，
惟溫愛之影長印着．

噫吁！數千年如一日之月色，
終久明白我的想像，

—34—

任我在世界之一角，
你必把我的影兒倒映在無味之沙石上.

但這不變之反照，襯出屋後之深黑，
亦太機械而可笑了.

大神起你的鐵錨，
我煩厭諸生物之汗氣.

疾步之足音，
擾亂心琴之悠揚.

神奇之年歲，
我將食園中，香草而了之；

彼人已失其心，
在混雜在行商之背而遠走.

大家辜負，

—35—

留下靜寂之仇視.

任 "海誓山盟,"
"溪橋人語,"

你總把靈魂兒,
遮住可怖之巖穴,

或一齊老死於溝壑,
如落魄之豪士.

但我們之軀體,
既偏染硝磺.

枯老之池沼裏,
終能得一休息之藏所麼?

1922 Dijon.

—36—

A mon ami de là-bas.

七尺的情慾之火焰,
長燃在毛髮上端,
糢糊地躲在牆根下,
或抱點勝利之氣,
站在哲人之側,
如猎犬之疲乏.

地殼之窩處,
你總可以再找一安息之所.
任"野草蔓生,新花怒放,"
可勾留之春日,
將以枯骨固其城壘及客座.
我全爲失望而哀病了,朋友!
一切智慧之擾亂長流着涕,
所以我比你棕赤了.
雖然我們是一樣山人之子.

—37—

我 的 靈 ⋯⋯

我 的 靈 與 白 雲 徜 佯 在 天 際,

雲 兒 帶 着 傲 氣 說:

"可 死 的 生 物,與 我 遊 行 罷!

你 正 如 樹 根 下 之 淺 草,

經 冬 變 黃,

遠 遊 者 之 穢 氣,

長 壓 着 你 枝 葉 之 伸 長,

殘 月 之 凄 涛,

永 使 你 心 兒 跳 蕩 不 能 安 睡.

我 們 遠 去,

靜 聽 販 商 之 叫 喊,

地 心 之 火 燄,

終 搖 曳 在 我 們 脚 下,

無 限 界 之 鐘 點 鼓 聲

惟 Phidia 能 聽 而 深 愛.

伊 將 酌 你 以 晚 間 之 花 氣,

你 兩 額 將 因 她 的 環 佩 而 光 耀、"

—38—

給 X

（一）

法蘭之人！但我們終得半面之識，

噫吁，你婉轉之喉音，

如大河之 Sirène，

臨舟子而歌．

我，長髮臨風之詩人，

滿洲里之騎客，

長林中滿貯着我心靈失路之叫喊，

與野鹿之追隨．

（二）

不可救藥，這全是命運，

統治着自然之陳迹．

但是，我多麼屈服，傲慢，

與徹底之同情，

這你應承認的，

你！我的哀戚之小妹，

生命之簾幕，

至少要相信其一部．

—39—

（三）

"親愛的詩人，

我希望你的生命終久比我榮耀，

我們再見罷！"

你殘忍之筆竟如此寫，

我惟有流我心頭之冷血為池沼，

炎夏來時，任你去遊泳，

但希望不再喚我名字，

只稀弱的小橋，任我們的靈魂兒往返．

—40—

一 段 紀 念

（一）

Sport-woman

之歌者,

以舞蹈之音,

戰慄

我

殘暴之同情.

並不是歌聲之節奏.

（二）

你 Lucette-Broguin 之名,

在我是

極其可怕,

你眉端

之諂笑,

全爲

狂喜之充滿.

將永不出斯土也.

—41—

（三）

你，無情之歌女，

污濁了

無數神之忠告．

我，所謂詩人，

流盡了一切心淚，

終未澱濕你彩色之裳．

只感到

Dear friend, I am sorry!

—42—

詩　人

（一）

詩人之靈，永在顯象界愚昧着，

不嗟嘆信仰之喪失，

與暴風雨下遊客之縱橫，

彳亍在斜陽之後，

覓昆蟲之蛻羽，以衞趣味之遠遊．

道旁之死獸，

爲其不可滅之靈作飲料，

蟋蟀的哀吟，引起

其嘆"他年葬儂知是誰！"

（二）

大自然之謟笑，

惟詩人能長久記憶在心窩之底，

歌唱在寢饋之候，

那多慾的生物，

時在危機上建設勝利，

或伺候在長夜之門，

覷可愛的日光，

—43—

休息在陰雨之下，向清風微笑．

終不望中世紀之英雄出大刀斬死天下

美人也．

（三）

他的視聽常觀察遍萬物之喜怒，

為自己之歡娛與失望之長嘆，

執其如椽之筆，

寫陰靈之小照，和星斗之運行．

何處是他的溫愛與期望？

寧蜷伏在 Notre. Dame 之鐘聲響處

" Comme un Blesse gu'on oublie. "

—44—

死　　者

神秘，
殘酷，
在生物之頭顱上
嬉戲了．

嬉戲了！
不可救藥．
她骨與肉構成之軀體，
全在空間擺動．

'一月裏之消瘦，"
在十二啟羅以上．
終倒死在木板下，
張着可怖之兩眼．

青紫之血管，
永為人們之遺嚇，

—45—

並頹動在原野
與遠山諧其色澤.

呵!上帝之達人,
不蠕動的斷送了!
長臥在亂石之下,
奏自己之胡笳,

如守邊之勇士,
永戰抖在
冷風裏,——
在 L'enfante 之園內.

時代上最大之好心,
終久在生命上,
傾軋,委靡,
如渡前之破船.

我,善惡之逃遁者,

—46—

饥渴地

剪碎一切憂戚，

來迎那"不可救藥."

超 人 的 心

吁，多疑的心！
終日徘徊在道旁，
寺裏之頌歌，
襯着晚鐘唱了.
總可漸停污濁空氣之震動，
而使你休歇.

世紀上之毫毛，
如東方英雄手中之短劍，
長使"渭流漲膩"矣.
唔！我們是無限界之國王，
可以痛飲狂歌，
與非洲野人舞蹈在火炬之下.

愛與詭猾，憐憫，
靜聽呵！旣歌詠不幸.
你成熟之年歲

-- 48 --

長愛錯愛之美麗,
與盧森堡園中之矮樹,
痛哭在深夜的人們疲乏裏.

人類成形之建設,
將銷失在葵扇風前.
我們之膝骨闌處
野兔與王子同殞了.

哀哉工愁之老婦,與
Mandarin a bouton de jade,
北海以西,有野獸能作人語.
不可禦的祖宗之炎火,永炕死我們於城
　干麼?

屈　　原

於友人處得離騷而讀之,雖頗有新義,
然屈氏傷時之殷非余之本旨,閱反離騷
後寫此舒意.

逃遁在上帝
腐朽十字架之下,
老邁之狂士,
簡單的心
充滿着怯懦之急流.

清泓之江漢,
永因你老骨之塡塞
而阻住行人之大計.
氣息搆成的長嘆,
永爲民族幽晦之歌.

汨羅之嗚咽,

—50—

終盪漾我生命之丹？

盧森堡公園 （重回巴黎）

"你沉睡在野鳥之翼下，

張着廣大之盛服，

任世紀循環桑田滄海，

你總帶着閑靜而眺望．

"微笑呵！不可捉之友情，

我所愛之綠葉，旣無力搖曳；

野花之彩色，適爲你之環佩，

無味的昆蟲之唧唧，永不擾你於深夜之

　　候？

"任牆陰之一角，

存留着詩人之嘆息，少年之愛慕，

與逃遁者之眼淚，長視鐘聲而諧和也．

"我們遠去脫此殘暴之監察，

遙望之颶風，滿眝着溫熱之雨滴，

—52—

如幕面之女人走過;不願意還帶點羞.”

No-1922.

巴黎之囈語

陽光下之鬧聲，
無休止轉動着，
閉了窗戶
我爲黃金的靜寂之王。

抱着鼻頭流汗，
既不是原始之人類了；
虛無之喝食，
爲空間上可怖之勾留。

一刻友愛之聚會，
永不再見麼？
先生與後死，
既非我們之園地。

遠去可愛的孩子，
巴黎城之霧氣，

—54—

悶塞了孱弱之胸膈,
你不覺已足麼?

情熱之燈光,
以本能之忠實而安排,
時將你的影兒,
倒照在行人之背而走!

不安睡的人,
全輾轉在上帝之肘下,
用意慾的嬉戲,
冰冷自己的血.

此所謂人們之光榮,
直到地上之爬蟲類.
地窖裏之莓腐氣,
燻醉了一切遊客!

背上重負在街心亂走,

全不顧棲息之所在,

車輪下之塵土,

滿沾在將睡之倦眼上.

如暴發之憤怒,

人在血湖上洗浴了!

不嘆息之奴隸,

長愛護牛領的襤褸.

人在葦裏張皇,

瘦馬在軛下喘氣

以可怖物掩其兩眼,

惟能羨慕道旁之腐水而狂飲.

神秘之沈睡,

全繞以金屬之長城,

多言之破布商,

在街道盡頭呼頤着我們先帝之名字.

—56—

他預示天人之訊咒,

赭色晨光中之疾笑,

可愛之腰兒,

再不舞蹈在 Vieux Fauboury 之旁.

淡月下之鐘聲,

如夜猿長叫在空谷之側:

海潮與舟子細語,

而泣下,悽愴,戰慄.

在行星冷歇之日,

我們不能吃既熟之殘羹;

惟流動之地心,

倒影 Trocade'o 于廣漠之野?

女人的心,已成野獸之蹄.

沒勾留之一刻.

其過處之回音,

惟有傲骨之詩人能聽.

—57—

希望與憐憫

希望成為朝霧，來往在我心頭的小窗裏．
長林後不可信之黑影，
與野花長伴着，
疾笑在狂風裏，如窮途之墨客．

憐憫穿着紫色之長裾，
搖曳地向我微笑——越顯其多疑之黑
　　髮．
伊伸手放在我灰白的額上，
我心琴遂起奏了．

我撫慰我的心靈安坐在油膩之草地上，
靜聽黑夜之哀吟，與戰慄之微星，
張其淡白之倦眼，
細數人類之疲乏，與牢不可破之傲氣．

我靈魂之羽，滿濕着花心之露，

——58——

惟時間之火燄,能使其溫暖而活潑.
音樂之震動,
將重披靡其筋力,與紫紅之血管麼?

我願生活在海沫構成之荒島上,
用微塵飾我的兩臂如野人之金鐲;
白鷗來時將細問其破裂了的心之消息,
并酌之以世界之血,我們將如兄妹般睡
　在懷裏.

聞國銑在柏林窮困作此并
寄意大利諸友

在沈睡之日光下，
全不能理解
白色的死之忠實，
歌唱 Cocorico 在生命之泉裏.

從半島之荒野，
轉運其彩色之希望.
按着短牆徐步，
望着長天于邑.

終久我們乘古，
在夜色之潮裏
看沙石飛轉在腳下.

呵，我藏身在殘忍者
毛孔之下，

—60—

骨根浸在油膩之流裏!

醜行

Yésus 行刑處之血腥，

散蕩在美人之裙下：

無驕味亦無讚賞與休息，

蒼蠅遠走數百里，

終飛翔着而歌唱；

行丐顛沛於泥污了，

呵，我所愛！上帝永遠知道，

但惡魔迷惑一切.

指骨聯構在皮肉下，

我們之生命永靠摸索，

嘆氣之候，"絕對"總消滅在眼睫下.

我願混跡在摩落哥

行商貨品之彩色裏，

窺視一切人們之藐視.

—62—

醜

殘忍而愚昧之生物,
以布帛擁其寶藏,
一切成形與豔麗,
不是上帝之手創了.

野人用膚色悅其所愛,
對着斜陽發亮;
長髮臨天風搖曳,
惟智者能深愛而有之.

人是萬物之遠叛者,
趑趄在黑窒之底,
側着頭兒傲氣.

我願撕去一切縶籠,
探手於所羨慕之囊,
席坐棕櫚之蔭以貽人羞.

—63—

無底底深穴

無底底深穴,
印我之小照
與心靈之魂.

永是肉與酒,
黃金,白芍,
岩前之垂柳.

無須幻想,
期望終永遠遁,
如戰士落伍.

飢渴待着.
罪惡之懺悔
痛哭在首尾.

"人道""惡魔",

新少年歎息，
在短檠下。

可以止矣！
酒，肉，黃金，白勺，
Paul, Fuies, Albert Léon.

人盡做散文
在詩裏？
時光疾流着。

一代作家，
裝飾着如野人，
叫喊在羣衆；

或舞蹈
在潤濕之
稻草上。

—65—

"幹幹幹",

在空間流動,

示人以"幹"!

盲目之親熱,

即一兵卒

亦粗暴美麗了.

荷馬老矣,

G. 與 M.何在?

奈頭角森然!

謝他們高唱'

與精英之音,

誰?何必?

—66—

門徒

我是好百姓，
不能如入狂叫，
多麼可笑呵！

不是孔德時代
抑福爾德，
培根，柏拉圖．

赤腳的獵人，
拳鬥之武士，郵役，
聚會着飲食，

你留意麼？
半月之休息，
呼"觚不觚"

神秘地來了⋯⋯

神秘地來了，插着足便走，
交換與連結，在年月上遇見：
衝突，駭異，終沈淪了．

我們越同一之黑海，
如泅泳者堅守其重負；
餓犬狂奔于泥濘之大道；

挤擁着如廇獸之卷蝎．
永不怨惜，任滛奔，火燄；
與匕首試其無涯之疾笑．

稀奇之勾留，永無休止之一日？
爆發了死之包裹與襤褸．
遂消失去呀！逃向何處？

無來路亦無去路，拱手在

—68—

上帝之側，綠血之王子，
滿腔悲哀之酸氣．
"我撕破仇怨之海沫，
終顯出圓頭之差怯，
與永遠之陰謀，慈母之大惡．

"我向女神羽下之陰處，
繼承祖先之遺囑．
行雲掩映，溪流細語．

"歌唱在行商之叢裏，
頹委我足，戰慄我心，
痛哭這無情之觀察．

"呀！酒肉，黃金，白芍，
岩前之垂柳，長混雜
在死者之灰缽裏．

"永不識春秋往返，

—69—

逐屈膝在地下,斷送了!
辜負這熱烈的佔奪之心.

"始終如一之悲劇,噎吁!
我願潛蹤吉林之北,
飽看天邊日出之火燄.

"聽武士劍押之鳴聲,
富士山巔的冷雪,將長保
吾既破之心於不磨.

"以吾蜷曲之指甲,
破彼人之胸與死心,
投諸東海Sirene之膝下"

—70—

作家

深夢裏全不認識事物,
彷彿空谷之底,萬衆的囘聲
到耳際,大神背誦使命,
老舊之記憶,生沈悶之嘆息.

黑與白之蔭影下,任人們往返,
悉飽着微笑與天才之神秘;
在陽光裏旋轉,證實,
創造;及祖先歷史之修明.

可貴之時光裏"統治"
在大道上號呼:
愛,憎,期望,解放而至平民!
Symblioste! nou, Realiset?
思想在靴頭變化了.
我永久同情手足之疲倦.

—71—

給望經伯

熱烈如枝頭之日光；
冰冷如溝邊積雪．
一切苦痛，悉深伏在生命橋下；
半日之鍾情，爲無終之判決．

無多大眼淚與悔恨，
歡樂之火在天際如在心頭．
多年之微笑與記憶？
惟地獄門外能證實．

〇多情之藐視，
人類環擁你之門！
永無囘聲與了解麽？

我們遠去此淺薄，
或修廣漠之深谷，
將長聽其呼號在膝下．

—72—

呵 ⋯⋯⋯

呵，無情之不死者，
你刺傷我四體，
以你鋒利之爪牙，
濺流綠色之血了！

你如獸羣般洶湧，
與王子之侍者同一阿媚：
長佔據氣息之後，
永無體惜與弛廢，

不能與你爭執，決鬥，
是生物之怯懦！
以兩手掩着流淚．

須長記着，我的靈兒，
開你廣漠之菜圃，
我終望局促在其一角．

—73—

給女人 X

呵，哀戚之女皇，以閃爍之黑紗
籠罩你可怖之歎息，與我心頭之夜氣.
欲哭未哭之淚騰沸着,
在生命之橋下，如清流滾滾.

忍心探手于世界之黑室裏,
帶囘來的，惟有靈魂之疲乏.
每聽冬夜之猿啼，狼嚎,
白晝之宣誓，益顯眞實.

不盡的生命之流，可游泳的
惟有一刻，安慰可愛之戀,
永勾留在無人的天之高處.

寺鐘一聲響了，我們之心田,
多給一壤破碎之跡.
吁，這微星的親密之視線!

—74—

一二三至千百萬

無開始亦無終期，
于你有什麼發生！
可憐之生物死了，
永憩在碑坊左右.

溝流混你的腦血，
吁，蠕動並掣着肘.
你尋得一切餘剩，
遂藏身道旁溝裏.

我曲着腰與兩膝，
任你們喊與競奔，
成熟之心，終久溫暖.

深谷裏，英雄長喊着，
應準備我們之草履，
皮肉將重開初民之花朵.

—75—

給 Charlotte.

秋去重來,多帶點點冰人之冷氣.
呵,我們之遇見,"目送飛鴻"
悉排列在腐心之底,
深夜裏便趲進我虛弱的.

思潮,如行舟來時之滂湃.
我嗅你血花之芬香,
油膩之手與我指頭接近,
深黑之眼滿着憐憫.

我願老死于你脣之空處,
或僅長記我的 L
在你腦裏,一切之幸福

潛隱在你毫毛光影之後,
至十字架腐朽之末日,
我們之同情仍如匏瓜掛着!

Rlace Saint Sulpice!

—76—

巖石之凹處的我

我蹲坐于巖石之凹處,

側這奇形之頭.

大神之美酒,直醉我清晨之倦睡.

旣往之春,吹動枝兒哭泣;

玫瑰在陽光下變色.

一切强暴,使我鮮血停流,

終曳着木屐,過此泥濘之世!

柔媚,自欺,殘暴與多情,

舞着長袖,終無囘答.

吁!地殼漸縮,

我蹲坐於巖石之凹處,

任野艸蔓生,新花怒放;

春色染遍人間,微風與黃葉細語;

蜂兒無路出晴春之窟.

"靜寂"似乎死了,

旣往之笑聲,遠在稻田深處.

—77—

我 並 不 等 誰 來！

—78—

夜之詞

呵，多情之黑夜，你終掩着面

蹶步而來，為拍兔之野獅.

我們秩序地相見，

不須說Lalut，更不消點頭.

你是我多年之廚司，

供給一切生命之營養；

忙亂中之逐客者，

長推我入此生強之門戶：

看春華秋實之"因士披里純"，

飛蟲在各草上旋轉.

於今好了，空留這樂器在掌心裏，

腦後之回聲，戰慄了自己，

與同僚之崇拜.

吁！不再來之如琴音的歌聲，

隨風送到我年青之耳際：

一切哀吟之節奏與悠揚，

—79—

雜以矮樹細枝之嗯嗯；

時而停了，或微如落飛，飛鳥及

遊蜂之羽音.

呵！折翼之女神，

你忘了自己之年歲，

平庸之憂戚猜不中你的秘密.

殘忍之上帝，

僅愛那紅幹之長松，綠野，

靈兒往來之足跡.

深紫之燈光，不願意似的，

站立在道旁，以殊異之視線

慤行人之倦步.

我委實疲乏了，願長睡于

你行廊之後，

如一切危險之守護者，

我之期望，

沸騰在心頭，

你總該吻我的前額.

—80—

呵，多情之黑夜！

1922 巴黎

— 81 —

街頭之菁年二人

白晳之臉,長着淡色之紅,
還挾點笑
和智慧;
我站近你
自慚老了.

光陰爲兩肩之重負,
你我不能追隨.
等候的恐是
光榮,
與美滿之愛.
去!
柔媚之手伸來了,
你沈重而笨之步
遲點將失你隨他之路徑.

我博愛之生物,

—82—

為這高牆住閉了；
街頭之足音
失望地：Adieux!
呵，我失却
最可親之侶伴了，
他們永不想再回來．

　你們將因勞作
而曲其膝骨，
得來之飲食
全為人之餘剩；
他們蹲坐遠處，
嗤笑了．

—83—

自解

一夢醒來心裏想：

"何關要緊！

你留下塵土上之足跡

與心頭之印象，

給我們祈禱時之懊悔耳．

你不是泛舟之海洋，

牧童之清泉，

花朵之粉蝶．

看呀，未滅之燈光，

直照牆間之卷帙；

瓷瓦在暗處發亮；

可整之革履．

足繼吾之遠道………"

我將撫着柳條兒

高聲喚水鷗前來：

這個世界，

―84―

任你們去管領.

生活

抱頭愛去,她原是先代之女神,

殘棄盲目?我們唯一之崇拜者,

銳敏之眼睛,環視壹切

沈寂;奔騰與荒棒之藏所.

君不見高邱之墳塚的安排?

有無數螻蟻之宮室,

在你耳朵之左右,

沙石亦逐銷磨了.

皮膚上老母所愛之油膩,

日落時秋蟲之鳴聲,

如搖藍裏襁褓之母的安慰,

吁,這你僅能記憶之可愛.

我見慣了無牙之顎,無色之顴,

一切生命流裏之威嚴,

—86—

有時為草蟲掩蔽，搗碎，

終於眼球不能如意流轉了.

寒夜之幻覺

窗外之夜色，染藍了孤客之心，

更有不可拒之冷氣，欲裂碎

一切空間之留存與心頭之勇氣．

我靠着兩肘正欲執筆直寫，

忽而心兒跳蕩，兩膝戰慄，

耳後萬衆雜沓之聲，

似商人曳貨物而走，

又如貓犬爭執在短牆下，

巴黎亦枯瘦了，可望見之寺塔

悉高插空際．

如死神之手，

Seine 河之水，奔騰在門下，

泛着無數人尸與牲畜，

擺渡的人，

亦張皇失措．

我忽而跕立在小道上，

兩手爲人獸引着，

－ 88 －

亦自覺旣得終身擔保人，

毫不駭異．

隨吾後的人，

悉望着我足跡而來，

將進園門，

可望見嵬峨之宮室，

忽覺人獸之手如此其冷，

我遂駭倒在地板上，

眼兒閉着，

四肢僵冷如寒夜．

故鄉

得家人影片，長林淺水，一如往昔，余
生長其間隨二十年，但"牛羊下來"
之生涯，既非所好．

你淡白之面，
　增長我青春之沈漪之夢．
我不再願了，
爲什麼總伴着
莓苔之綠色與落葉之聲息來！

記取晨光未散時，
——日光含羞在山後，
我們拉手疾跳着，
踐過淺草與溪流，
耳語我不可信之忠告．
和風的七月天
紅葉含淚，

—90—

新秋徐步在淺渚之荇藻，

沿岸的矮林———蠻野之女客

長留我們之足音，

呵，飄泊之年歲，

帶去我們之嬉笑，痛哭，

獨倘剩這傷痕．

1922

—91—

戲　　言

任春天在平原上嬉笑，
張手向着你狂奔，
冷冬在四圍哭泣，
永不得棲息之所

夏天來了，你依舊
在日光下蠕動．
黃葉與鳴虫管不住
之秋，赤裸裸地來往．

玫瑰謝了還開，
曲徑裏足音之息息，
深林後女人笑語

之回聲，對着你睜視了！
呵，我之寂靜與煩悶，
你之超然孤冷．

—92—

手　杖

呵,我之保護者,
神奇之朋友,
我們忘年地交了.

往昔過處
悉存你之氣息,
及死神般之疾視.

奈時光之流去,
如林鳥一唱,
奔飛在我們眼下.

地已荒涼了,
獨有冷風細語,
如末路之英雄.

靈魂亦冷了.

任這"首途"與
"涖止"悲戚着.
我終久堯着你
過此廣漠之野.
呵,神奇之朋友.

悲

我煩厭了大街的行人，

與園裏的棕櫚之葉，

深望有一次倒懸

在枝頭，看一切生動：

那時我的心將狂叫，

記憶與聯想將遁廳：

"——你走得太遠，回來太遲了，

呵，你靜止罷！

人們爭辯着，

終保護自己，

盡手腳之本能，

把地殼鑽成

千萬小孔，

爲墳墓或爲藏金窰。

——"不夠慈悲？

—95—

或者差不多了，

吁我們之幸福，因爲是我們的，

人不愛生命，

非出于本能的."

過去之情熱

呵，過去之情熱，吾入生命之足音！

如此其空泛，不可摸捉，

任我們休止與嘆息

煩悶與寵愛時，

你總留存着在印象裏，

我呼吸你的香氣，

與往昔之諂笑，

惟不忍再與你接近，

或無端私語，

我們獲得一眞切時

想是太老了！

你孩童之欺騙，

及頭顱之安置，

譬醒了一切血之循環．

怎麼?已過去了！

你如此其輕微過去，

我張手在斜陽下

正待拯救者之引帶；

牧童的夜樂，

戰慄了我心與手足，

遂失了你之蹤跡.

無　　題

傷春之野雀在睛空裏歌唱，我們希望
藏身在其翼下，得一休息之片刻，然而影
終移去，我呆立在你肩後了．

呵，一切情愛，如船在浪前消失，毁碎了．

可愛，建立一"不完全."然我們在赤裸
裏能聽熱烈之音樂，他將搖蕩我們已往
之哀戚，襯以黃昏之舞蹈．

星光在我額上蹀來蹀去，我委靡地重索
我們之盟誓，你注視我如同雪後之寒鴉．

呵，Maria，你終嫌夢想！

你壓住我的手，像睡褥般溫柔，我一切管
領與附屬，全在你呼吸裏．

你莫忘記，我們是廣漠之野，萬里黃沙之
海岸，寂靜中之歌者，朦朧之夜色．

地面滿布深藍之睏影，淡白之光平射着．

呵，我們平庸之幸福，深望遊行之野鹿不
再送歌聲到我們耳際，或在附近之村莊

—99—

裏.我將在你靈魂裏,獲得一切之溫暖與

愛護.

—100—

遠　方

晚鐘響了，我無心逃向何處，

我的頭滿藏着你，呵我所愛，

我聽到你的足音，

我望見你的裙影，

——一種往昔之風味，

如女神出沒在雲裏，

嘆息在海波之上藍色裏，

細小之衣摺，如此其嬝娜，

我全是沈悶，靜寂，排列在空間之際，

一切心靈之回聲，

震蕩所有之生命

呵，這蕭殺之長夜，

詩人之逃遁所．

我侵浴在惡魔之血盆裏，

渴望長跪在你膝下．

呵，倦睡之歌人．

—101—

四輪車得得地在街道盡頭——
呵,風熱之孩童全灰白了.
不空的聲響在黑色之暗處,
如強盜磨其小劍在我心頭.
你,給我之記念,如傷獸奔騰去了.

慟哭

我仗着上帝之靈,人類之疲弱,
遂慟哭了:耳後無數雷鳴,
壹顆心震得何其厲害,
我閉着眼,一切日間之光亦
遮住了世界將從此灰死麼?

所有生物之手足,
全為攫取與征服而生的。
呵,上帝,互相傾軋了!
所有之同情與憐憫,
惟能在機會上諂笑,
遂帶一切倖剩遠走!——遠走!
暫次死滅逃遁了.
能呼嘯,更能表示所有之本能.
呵,上帝,填塞這地殼
終無已時乎?
狼羣與野鳥永棲息于荒涼乎?

或能以人骨建宮室,
報復世紀上之頹敗.
我將化為黑夜之鴉,
攫取所有之腑臟,——

多情之腑.
或望撕吾既破之外衣,
為人類一切之葬服,
但,呵,上帝,愛護一無味之生物
我的鞋破了,
終將死休於道途,
假如女神停止安睡之曲.
我手足蜷屈了,
不能在遠處招搖而呼喊.

一 她 一

情愛伸其指頭,如旣開之睡蓮,
滿懷是鳥窠裏的慈母之熱烈,
兩臂盡其本能,深藏于裙裾之底,
腰帶上存留着夜間之濕露.

憐憫,溫柔與平和是她的女僕,
呵,世紀上余最愛的,—— 如死了再生之
　　妹妹.
她是一切煩悶以外之鐘聲,
每在記憶之深谷裏喚我迷夢.

在藍色之廣大空間裏:
月兒牛升了,銀色之面孔,
超絕之"美滿"在空中擺動,
星光在毛髮上灼閃,—如神話裏之表現.

我與她覺得無盡止亦無希期,

—105—

在寂靜裏，牠唇裏略說一句話，
淡白的手細微地動作，
呵，伊音樂化之聲音，痛苦的女兒．
伊說在世界之盡頭處，
你的慾望將獲得美麗之果實，
一切"理想"將爲自己之花冠，
在蟲鳴之小道上將行着步．

"你華彩之意識，生活在熱烈裏，
沈醉在一種長生之空氣內，
完成你原始之夢想，
離開這萬惡，羞愧與奴隸．

"我將戾笑在荷花生處之河岸，
在炎夏之海潮上，如新月之美麗，
你靠近我以滿着黑夜之眼睛，
我所吻的是你之靈．"

—106—

朕 之 秋

空間裏全靜止了，
我 的 精 神
毀 碎 其 愚 昧
之 鐵 鍊，終 罩 近 不 動 之 時 光 上.

空 間 裏 全 靜 止 了，
冷 風 在 行 廊 裏 來 往，
吹 起 我 無 味 之 追 尋
的 思 索，內 心 的 閑 靜.

空 間 裏 全 靜 止 了，
殘 月 逃 隱 在 雲 底，
失 去 尋 常 的 速 度，
似 欲 離 這 不 認 識 之 世 界.

空 間 裏 全 靜 止 了，
無 涯 之 季 候 的 行 動，

—107—

直到萬類之指頭上，
掘發了一切老與幻之，Néant!

空間裏全靜止了，
似靠近死之火光裏，
但遇生命之樂乍響，
亦如輾轉泥濘之雪車．

我的孩童時光，爲鳥聲喚了去：
呵，生活在那清流之鄉，
居民依行杖而歌，
我閉目看其沿溪之矮樹．

風在竹枝兒作響，
白羽膀的無名鳥，
擺動在急灘上，
水草全低着頭！

我長大了，長渴望

—108—

東方之光，飾以鮮花之水岸，

在＂金色＂之斜陽下，

無名英雄彳亍而悲嘆．

現在抱了旣破之飾物，

長聽失路之魂謳唱，

任在晴春裏呼吸，

呵，蜂蝶與草虫之心的跳躍．

吁，你的雜亂之小徑，

與隨風之水䕃，

在深夜之底，

如黑色寡婦之孤兒．

11-1922. 巴黎

—109—

我背負了……

我背負了祖宗之重負,裹足遠走,
呵,簡約之遊行者,終倒睡路側.
在永續之惡夢裏流着汗,
向完全之"不識"處飛騰,
如向空之金矢.

我在倦睡中,望見橘色之陽光,
遠在海之綠處徘徊,如野鷗上下.
我的靈追隨在十里之後,
不能熟視其容貌在青色之波端:
"當你喪了一切氣力時,鼓勇罷!
無癡笨地等候,"將來"是你自己的.
立定脚跟,待所有的來人,
蜜糖是無夢的,佇望全是惑亂.
鼓舞罷!卽教士在時間之門限上,
招你以長袖,
這不是你之途徑."

—110—

但我的生命,在那裏
如此其真實正確
悲劇,狂歌,乖惡的笑,
在四周察視.
呵,我收藏一切"虛僞,"
如枯骸之手,
長爪住我之大衣.

—111—

懊悔之諧和

生命為愛情之骨肉,
永在其四周騷擾,
欲消失所有之外體.

醜惡與空幻之夢,
惟婦人能生產,
我們為其銷售所.

但永不使人得到
和摸捉,只是可
用自己心靈去期望

艱苦地演去,
收納一切可愛,
全毒死僅有之靈

從不會借貸人力,

—112—

以喫强自己之身,
担負這愛戚與歡樂.

溫柔的"死"之膃慵,
歌唱在小心裏,
任春去秋來;夜以繼日.

吁,多麼可愛,
本能上之同情.
意志之休息所.

歲月爲不可拿捉之罪犯,
他帶一切悲滿前來,
刹那間復任地奔實了.

"性"之奴隸!
從聖母創起,
遂長染人類之肌膚上.

呵,幻想的額上之火印,

如此其熱烈,

直到肉爲烟化.

生之疲乏

空間因填塞之故,
所有的池沼乾枯了,
"煩悶"更無吸飲之地,
廣漠之野,全因希望而疲乏.

我不欲再事祈禱,
多情之上帝全聲廢了,
耶穌之木架長朽在寂聊之鄉,
以青藍之眼睨視行人.

海潮在遠處呼嘯而奔竄,
如喪隊之遊牧者,
攫住一切往昔之時光,
卽臨風的垂條亦不能挽住.

"任你如何悲戚,
我總無力去慰藉,

—115—

你之Morosité我全不解……?

是以金色之日光,長睡在淺沼上.

山蛇與虎豹,在黃昏裏呼號,

將停止一切夜遊者;

終將有一時之較量,

使我靈兒復其平淡之夢.

我失去所有之忠告,——

歌唱在道途之忠告,

罪惡之心頭因其戰慄之腳跟,

或爲細虫嚙食了大半.

歷史上之慘殺,

和飢餓之呼聲,

永在我門外騷擾着,

我的心靈全蹲伏了.

如夜候疲乏之獸羣.

--116--

英雄之歌

"我們徐步在世界之夢裏,
幻想醉着心,"肯定"照着手足.
海天的"無限"之風,在毛髮下飛舞,
如動作之人類,正冥想及醒覺着.

"我們老大之種類全頹唐了!
地殼亦太陳舊,天兒太低小了;
一切擎着信仰之人們,
都搖動那無根之靈魂.

"人以爲死神醉臥於暗處,
寺院之歌童環繞着而痛哭,
既非我們之時代:劍兒生銹,
武士吹着角兒,在薄暮之天下.

"看,羣鴉飛翔了,黑的鴉羣,
舊世界之評判者,帶來之

—117—

海潮,從低處升騰,

日落時必湧過在我們墳上.

"但我們有時踞坐山巔,

每個日光的"永久之華"

都回憶他的清晨在我們眼睛裏.

大神之鳥,在我們腦後孵其細卵"

11-1922

柏林初雪

孩子的雪藏，

在禿樹下奔竄，

瘦馬滑着蹄，

人兒掩着鼻.

我初識他們，

他們更形了解.

撐起腰兒，

得到一杯查厘酒.

好了，人遠了！

威嚴長保不住的我.

意識散漫的疑問

我該如此走麼,何處去擺渡?
江裏的綠水,永不會浮着死屍?
呵我多麼愛他:微風和早晨的霧,
澗邊的老鼠,必忘了這"千里駒"!

一代之傳統的,就如此麼?
從那一個歲月,建立他們的事業?
何以總是斷續而短氣的唱着.
呵,我能聽,但終不能解呵.

好了,你候在時間上爆發了,
月夜的朦朧,呵,我心靈逃向之處.
誰給我四體之力,
戰出此機會之售賣所?

她如想到人類之始終,
必給我一個安慰麼?

—120—

我需要她做什麼?背重負,
遊名勝?談古今中外,抑接吻麼?

—121—

X集

不是創造與傳統,

是遠出 Socrate, Lamartine, Régnier

之精神於外的發現;

像"La clair de lune"的歌聲;

但朋友所想望的,

是月球裏的黃金世界,

從不疑問靈魂不死,

正預備一切最要妝奩.

朋友所看見的,

是村婦之深夜的舞跳

兩袖臨風,脚兒一齊節奏,

火光旋起旋滅.

呵,我眞相信了,

一人之有,是全人類之有,

將這期望到何處實現?

溫柔

I

你明徹的笑來往在微風裏,

并燦爛在園裏的花枝上.

記取你所愛之裙裾般的草色,

現爲忠實之春天的呼喚而憔悴了.

最欺人的,是一切過去.

她給我們心靈裏一個震動,

從無眞實的幫助與勸慰;

如四月的和風,僅括去肌膚上的幽怨.

雖大自然與你一齊誥笑,

但我不可窺之命運的流,

如春泉般點滴,

到黃沙之漠而終消失!

我與你的靈魂,雖能產生上帝,

但在晨光裏我總懊悔這情愛,

—123—

呵，你夜間之芳香與摸索，

銷滅我一切生命之火焰，

你跣足行來，在神秘之門限上，

我們何時纔能認識

你的力，愛，美麗與技巧，

將長瀲灩在垂柳之堤下。

II

你當信呵！假如我說：

池邊綠水的反照，

如容顏一樣消散，

隨流的落花，還不能一刻勾留；

你以當年之纖手，

探取一切臨風的野薔薇，

并一齊探取了我的心之種子，

我無能希望他春來再長。

記得在長夏庭院裏，

蜜蜂的鬧聲,到花枝上止了;
薔薇的香氣,奔飛在我們臂下,
枝頭的瘦索欲去還留.

蹁坐在晨光裏,遊行在夜裏,
槐樹之陰遮着,牽裾之草襯着,
辜負了聽海神之歌
辜負了細流之鳴咽.

我替自己加冠,——不加到你的額上;
時間之火焰滅了,還自己喊着.
這個無聲息的"回來"
你不該哭,——更何能笑!

III

我可以徹底忠實,
但須你的願意,
聯絡我們的哀戚,
你是我最初的證人.

—125—

"我清貧如乞丐,

但有你的肥胖之頭,

細膩之手臂."（見P. Valeine）

……………… ……… …… ………."

地上之季候運行着,

我們的園地如何?

何關緊要,血淚與赤心,

祇愁你不我愛!

蕭索的秋,

接着又這冰冷的冬.

僵死的四肢,

惟我們之靈能暖之.

你於我是日之出分,

我於你是澗草的閒散.

我失去哲理道德之認識,

—126—

但願背誦你的法則.

IV

我以冒昧的指尖,
感到你肌膚的暖氣,
小鹿在林裏失路;
僅有死葉之聲息.

你低微的聲息,
叫喊在我荒涼的心裏,
我,一切之征服者,
折毀了盾與矛.

你"眼角留情",
像屠夫的宰殺之預示,
唇兒麼?何消說
我寧相信你的臂兒.

我相信神話的荒謬,

不信婦女多情

（我本不惜比較）

但你確像小說裏的牧人.

我奏盡音樂之聲,

無以悅你耳;

染了一切顏色,

無以描你的美麗.

1922 柏林

—128—

沈寂

一切沈寂了!笨重的雪疊蓋了小路和石
　子,
並留下點在死葉上.
枯瘦的枝兒喪與地互相抱着;像欲哭無
　淚!
似乎大地憤恨了,欲張手直捏死萬類在
　頑意兒裏.

－129－

憶韓英

風兒儘號着，

鐘兒儘响着，

我蜷曲在火光下，

一味向四周摸索，

呵，你何能夢想，

我僅記着你的羞怯．

我給了你紙，

更給你以筆，

說聲"哥哥"，

好了！

黃泥渡的水，

老虎塘的山，

不忠實之印象！

兒童之年真不可靠．

人說：你已征服了，

－ 130 －

雖然可惜，

但我們不能

"同日而語"

轉眼三年了，

（還須別的證實麼?）

我喪失了 Naiveté,

更喪失了心，

Naivetê 被風吹去了，

心呢?

是我現在尋找的.

你欲在"妥協"裏建立麼?

終掉了自己的皮血!

我能奏回絃之琴音，

至少能悅你的心，

我 想.

你可如 Nymphe 與小羊跳躍在林裏，

—131—

洗浴在清泉之底.
我呢,
再裝大古詩人麼?
不能了,
確已不能了:
一切固有毀蕊了!

先是余顧醉心 Renoir, Adler, Besnard 等之作品及色彩:Bouchard, aronson, alliot, Troutusky 諸人之雕刻亦同時愛之,後覺得淺薄無味,轉注意於 Rodin 之晚年作品,並覺得其與 E. Carriere 有同氣一息,援筆略盡所思,或爲以後之轉點.

我尋到時代死灰了,
遂痛哭其墳墓之旁.
我的子孫,(你的子孫!)
都以爲好極了.

但浪兒滾着,
舟兒終久停滯,
還問前程麼?
Manet 眞是人傑!

伊們寄了一切肢體與靈兒

--133--

在神的胸膛，

溫暖地安睡了，

倒醉罷？

最後一覺了！

惜我之生，原為一點辜負！

—134—

上帝

上帝在胸膛裏，
如四周之黑影·
不聲響的指示，
遂屈我們兩膝.

消長

斗然南下的雪褸，

（幾遮斷了前路呵！）

凍殭了狗腿，

更蓋滿了烏窠之巔．

大自然一點意思：

天空灰變了紫；

紫變了藍，

大陽們撑起腰來了，

關什麼意見？

只欲把雪褥細軟，

化水歸到海裏，

且說"我來了，

你該去！"

大地仍歸靜了好久．

反慈悲

我的祖先,（聰明人）
最曉得這點, O Cain!

"勿援以手,勿點火炬之光.
他們喉裏的鮮血儘疾流者,
變成江河能淹沒人麼?
敷住了創口,仍起來奔竄!
你看,他們忘却自己死了,
仍在鮮草之蔭下,
避這鋒利之矢.

神秘的歌聲,散蕩在黃昏裏.
近鮮豔的林邊,來了!
泉兒噦噦地,浪兒打到樹根,
可放下你的籃兒,呵,來了!"

律

月兒裝上面幪

桐葉帶了愁容,

我張耳細聽,

知道來的是秋天.

樹兒這樣消瘦,

你以爲是我攀折了

他的葉子麼?

—138—

Elegie.

春天帶來之豔冶，
為黃色的秋收去了，
但你給我的忠告，
永不因年月而消磨！

黃昏送來暗黑，
遮住你之美麗，
何不向上帝哀求
囘復我們的黎明？

我不識大地的永遠，
只覺春去秋來，
忘記了今昔，
抹慾了需求．

我的門閉了，
惟不能關住我的心，

我的薔薇開了，

但不見花心之露.

—140—

給行人

偶讀 Pierre Louys 之 Dialogue au
soleil couchant, 深愛之, 變其體而成
此.

我須痛飲, 君更何須辭杯!
大酸辛了, 你擔負一切憂愁:
手兒空時, 自己還洒點淚;
我所希求的, 已非時代之所有.

"我生二十, 雲路比自己將來,
芙蓉比自己的美貌,
傾了羊羣, 探桑田的野草,
飲澗裏的流泉.
清風更何消說拂我衣襟.
抽桑子的鄰人有歌唱歌誘我,
我煩氣了說"遠去, 這是無用的."
"真呵, 我當停在平坂上, 羨你的美麗,
但不能去."

—141—

後來他說了許多男人的忠實話,

我說"夠了,世間能說最甜蜜

之語言的,是最不可靠的人."

男人說"我願消磨生命在你膝下,

允許麼?我將用彩色之板,

建東方式之亭榭,四圍繞以薔

薇和香草,你可聽到初秋的寒

蟬,與金色虫之歌唱;我們在

夜間長靠着.手在你的腰裏,頰在你

的唇裏,我們的心將次第跳蕩

…………………………………"

我戰慄了,說:"是呀,我們將不恐懼

這黑夜,因我們已在一許了,你和我!"

男人說"……將髮兒散在你頸上,

蒼苔帶濕氣來了,但你的胸膛終

是溫暖."

太陽辭了樹枝,星兒在天際澈亮了,

我總是掛慮他們(羊兒)意識亦以散

漫.

—142—

男人續着說"黑漆下,我看不見你的
面孔呀,來!我們到松林裏去,看夜鴉
鋪張臥室……………你喜歡麼?………
……………………………………………"

何處尋求這等幻夢,去年的秋換到
今年的春,柳兒長了細枝……但抽
桑的男人!壯海泛木筏去了呢?
我的羊羣,仍是從短岌匐匐到平坂,
而歌唱的黃昏呵?

—143—

放

我的生命隨處歌唱或呻吟,

何關緊要!

竹枝兒蕭索,

噴泉兒凝視,

縱秋老山黃,

鷗羣拍浪;

縱冷月清照,

遠鐘催着睡眠.

耳兒的清澈,

偏消受市場的混鬧,

回聲來得更遠!

打叠了一層愁,————

千重記憶,

說是"某也辜負!"

帝皇的計較,

人間無慾償他.

—144—

呵，活無太講超人！
魂聲全云妥協，
蜂鳴士奇更何消說.

"也不傷春，更不悲秋"，
亦不學細流之悲鳴，
與野鴨之閒散.
更何暇弔：
孔林蒼古，
北海霜嚴！

敲了門兒，
頓着脚兒，
誰駕來的，
Chariôt d'oi!
御車的女神呢？
大酸辛了，
僅忘却這點.

—145—

故鄉

我的故鄉遠出南海一百里,

有天末的熱氣和海裏的涼風,

藤荆碍路,用落葉諧和

一切靜寂,松蔭遮蔽溪流.

有時鑼鼓鳴了,——自然報點急管.

如獸羣的人,悉執着上帝的使命;

出了刀與矛,奔赴前敵;

三十的跟了四十的,

如海潮之洶湧,

(熱血更何須說!)

此後人稀了,鐘兒更無人敲了!

但鐵練的光,仍是閃着.

樹雖未禿,但鳥兒早去了,

留下小雛的死骨!

斷橋生着苔,

——痕更何有?

—146—

牛羊匐匐到山巔，
駒子學眠在淺洑了，
鼠兒更穿人屋．

年日多了，去的勇士
還未走到盡頭？
（誰去盼望呵！）
何以他們掉了故鄉，
另有樂土麼？

年日多了，去的勇士
還未走到盡頭？
但狠兒跑進內堂，
與野狗爭宿所了；
瘦虎狠狠地向着他們！

使命或說盡了，
忽地來了一詩人，
——一個命運預言者，

—147—

他傷心了，
以爲是不可救藥，
遂毀了其所欲寫之筆，
驀地走了，逃向何處？

—148—

小詩

呵，傷心這痛哭，
滿足了這煩悶，
償還一切上帝之賜去
記着這光榮之永遠罷?

我如流血之傷獸，
跳躍，逃避在火光下，
愛，憎，喜，怒與羨慕，
長壓我四體，無休止了!

不死之人獸，——呵人獸，
何不嚼食淨盡，
催使我近此蹣跚之脚，
看無窮之衝突。

神秘而酷虐的墳田，
終掩埋無數

“生命之期望者,”
到何處完結他.

我捨了歌人,終成劍客,
還想“筆尖橫掃!”
時代上之英雄,
確已成大名而去?

“明澈的婦人,
收拾我們的狼藉呀!
捏死那可愛的,
任弱小的去呼號.

“勿再痛哭了,痛哭是可恥的,
你是站在森陰深處,
震動你的薄裳,
便可聽松梢的歌唱.

“心在胸膛裏節奏,

--150--

頹牆下之死貓··········

吁，我全不認識!··········

真呀，Heline ··········

假 如 我 死 了

假 如 我 死 了，
你 可 以 走 近 我 的 床 前，
（ 當 然 不 須 說 話 ）
在 我 所 有 的 詩 卷 裏
你 可 以 找 到
" 水 流 花 謝 "
" 人 和 臭 虫 的 比 喻 ".
我 的 眼 將 無 力 再 看，
雖 然 如 此 深 黑；
你 的 心 跳，
我 的 心 停 了.
穿 起 你 臨 睡 長 裙 來，
歌 一 陣 "The castle by the sea"
或 能 引 火 神 的 憐 憫，
去 了 呀，
大 家 不 說 辜 負.

—156—

哭既不能，

悲更何必．

打量我們的經營？

晚了！

我將手放近腰兒，

假如你不害怕，

雖夜影四合，

我們總可勾留：

十秒或一刻．

呵,我不能再記憶你的名兒！

Madelene, Hélène, charlotte ……?

吁,告訴我

（如我們初識時．）

最後一秒了

給我一個明白．

鍾情你了

"Celebrous nous l'amour de femme

de chambre"

厨下的女人鍾情你了：

輕輕地移她白色的頭巾，

黑的木杓在手裏，

但總有眼波的流麗.

如你渴了，她有清晨的牛奶，

檸檬水，香檳酒；

你煩悶了，她唱

"靈魂不死"和 "Rien que nousdeux"

她生長在祖母的村莊裏，

認識一切爬出樹，大葉草，

蝶蠟和蟋蟀的分別，

葵花與洋菊的比較.

她不羨你少年得志，

—158—

似說要"精神結合"

若她給你一個幽會，

是你努力的成功．

　　　　　　1922 柏林

—159—

我 做 夢 麼

我做夢麼:石子跳舞在日光下,
行人的雨傘深藏在肘邊,

顛沛的老人伸手四索,
說是兩膝瘋廢了.

呵,這等沒父母的孤兒
(親屬那裏去了!)

杜鵑傷春天不常在
Rossiguols 歌唱夏天的晴和.

長耳犬在麥田裏尋秋來的足跡,
偏遇見自負的長髮的詩人.

這等是什麼鬧聲,
媚婦的舞蹈麼?

—160—

音樂家何以痛哭在廣場裏?

所愛的琴兒斷了絲絃.

―161―

Tannhäuser 的詩人

（ woguer 之悲劇 ）

若干年前詩人想殺上帝，
若干年後上帝殺了詩人.

他奏樂在宴會裏，
幾被劍兒刺死了.

淡月朦朧地，
黑夜漸步來了：

赤腳牧人的笛兒，
與歌童出入在黃葉裏.

詩人想：該報誰的恩惠，
但 harpe 既破碎，奈何！

—162—

故事

我 的 哀 戚 向 四 處 奔 寬 了,

有 一 個（慢 性 的）還 睜 眼 到

街 頭 "Win en gros" 的 處.

我 得 了 些 什 麼 腳 疾 療 愈 麼?

"上 古 有 個 王 國,我 的 祖 母 如 此 說,

僅 有 母 親 和 兒 子,大 兒 cricri 是 很 小 的,

後 來 孩 子 到 東 方 經 商 去 了,從 波 斯

來 信 說:身 體 無 恙;

神 戶 來 信 說:他 愛 上 男 爵 的 女 兒.

時 間 一 日 一 月 過 去,母 親 在 園 裏 拾 落

下 的 櫻 桃,看 平 原 上 的"聯 地 針"

有 一 天,是 聖 誕 的 前 一 夜,

孩 子 回 來 了,騎 上 一 白 色 的 花 馬,

外 衣 掛 在 右 肩 上,

雖 增 一 點 鬍 子,但 瘦 極 了!

母 親 說:我 的 兒 子,上 帝 是 仁 慈……的

—163—

兒子戰慄說:我失了一切所有⋯⋯

要繼續說時,倒下來了,

母親亦顛踣在尸上,

Cricri 倒歡喜了,

將他們的肉

作了半月的食料.

後來亦跑到海岸上去過活,

從沒人再見過他.

這個王國於是再沒有生人,

只蘆草,和夜合花,與蟋蟀

相對而嗤笑."

—164—

你還記得否……

（一）

你還記得否:

去年月鴉墜枝頭,

露體菓樹在風前戰慄,

我比他爲:

金椅上痛苦之王子.

（二）

爬蟲在溝裏俑匐,

（前一步退兩步）

以後沈思了片刻,

似嘆息這世界的泥濘,

妒忌人類之闊步.

（三）

蝸牛在杏枝上徐步,

表出無限願意,

如臨葬的人羣,

"我願與你如此遊行世界,

尋求我們已往之蹤跡"

（四）

細小的麻雀

休止在頹敗的荒園裏，

忽地叫了一聲 gigiiiiii，

由葡萄藤下

轉到"不知那裏"去了.

（五）

灰藍的天空下（灰藍的天空下）

賣鞋帶的領車狗兒來了，

麥程襯着在木屐裏，

喘氣在鼻端，

向犬兒說 viens iei!

（六）

松風挾來的鐘聲，

休止在屋後的苦茬上.

呵,不隨時候的茬苦，

如喪了孩兒之祖父，

躲在牆陰,預備痛哭之眼淚.

—166—

（七）

赭色的馬兒，

（你說是驢兒！）

無懊恨之眼，

爲主婦驅使了，

以瘦弱的腿走快步．

（八）

上帝何以有年，月日的設置，

使我們的記憶有新舊的層次，

你在眉頭衰老，

我在頰兒消瘦，

但我們靈魂終久靠着背．

—167—

憾

Landa (marie)

慣看"沙鷗拍浪;"

慣聽"杜鵑啼血;"

不能尋求毛髮手足生長的意義;

但我的心是為愛而生的.

雨在瓦端跳蕩,

風在城頭呼叫,

我的懊悔遂結隊來了,

因我拋棄了愛余的她.

我聽生命之足音,

——在天邊;海的深處,

我思念古代英雄之忠實,

何以辜負她唇邊的笑!

我愛一切水晶;香花,

和草裏的罌粟;

—168—

她的顏色與裝服，
我將用什麼比喻?

我知白蘭帝的香味
和作家的自負，
終不了解
她微笑的效力.

—169—

明

（耶蘇誕之夜）

淡月曲肱在深夜之欄干上，
聽她歌唱和臨風的長髮：

呵，可愛之神，我嗅到這等芬香，
從你心裏發出，還是從我的靈兒？

池塘裏銀色的反照，帶火光之金色，
赤足的思春女兒之夢，在那兒洗浴．

榆樹，紫藤花，天門冬和淺草，
都因黃昏之舞蹈的疲乏而沈睡了，

我將兩手放在靜寂之肩上，
但一個是哀戚，一個是羞怯了．

灰藍的黑影，套住全寺院的沈寂，

—170—

惟有 鐘兒痛哭着，如 Josephe 破碎之靈.

我 Talue 着向月兒，如同向 Jésus christ,

在這清澈裏，總該使我有清澈的心.

—171—

黃昏

你不見有點東西

正在衰死麼?

我的 "疑惑"

在大道上蹣跚來了,

全現成灰白色.

黑夜之宮庭

將開着花了,

呵給你的手在胸膛裏來,

我的小妹,

山頭最後的光影,

反照在你鬈髮上,

正留意這一日的長別.

聚哭是我們的時候了.

我酒入愁腸,

旋復化爲眼淚,

如問還

“不可救藥”之原因

恐衰老之世紀亦不能答.

薔薇的花片,

無心地隨風落下,

跟着時間去了;

我的 Zeunesse

如負債的商人

不明白地逃遁了.

但終久

歌唱在我心的凹處,

如流落之猶太人,

或蹲伏在橋陰下

如死神之假寐.

橙黃的平岡上,

靜寂的 chateau 豐隄着;

他呆立了若干年在斜陽

—173—

所經的道路上，

從無人問這秘密，

（恐亦不告人！）

但這般孤冷，

總可猜或者

Le baron est weust four Louisette.

松梢不能挽住斜暉，

但偏染黃金色

是確實的，是確實的．

—174—

使命

生命
叩了門兒,
要我們去齊演
這悲劇.

你太疲乏,
我全忘了
詩句的聲調.
如何演?
但看的人多了!

我們且交臂出去
長立幾刻,
你有美麗的頰,
我有破碎的筆頭.

春城

可以說灰白的天色，
無意地挾來的思慕：

心房如行槳般跳蕩，
筆兒流盡一部分的淚。

當我死了，你雖能讀他
但終不能明白那意義。

溫柔和天真如你的，
必不會讀而了解他。

在產椰子與芒菓之鄉，
我認識多少青年女人，

不但沒有你清晨喚犢的歌喉，
就一樣的名兒也少見。

—176—

我不懊恨一切尋求的失敗，
但保存這詩人的傲氣．

往昔在稀罕之荒島裏，
有笨重之木筏浮泛着：

他們行不上幾里，
遂停止着歌唱————

一般女兒的歌唱．
末次還襯點舞蹈！

時代既遷移了，
惟剩下這"可以說灰白的天色．

—177—

汝可以裸體……

汝可以裸體來到園裏，

我的薔薇正開着，

他深望與你比較美麗，

————但須除掉多情的眼兒.

汝可以沈睡在幽潤之苔苦上

不夢想一切事情.

假如腿兒濕了,我可以

用日光的反照去乾燥之.

汝可以不留意秀眼的叫聲,

他是因春歸去了,

正在尋春歸去的蹤跡;

柳稍上的不是,春草池塘的不是!

汝可以將手壓住金色的髮兒,

免致西風來了,

—178—

吹向遊客懷裏

去比他們不可數的愁絲.

—179—

給 Doti

我明白東周的衰亡，
精神生活的提高，
不識你不忠實的原因，
因你曾在我手下輾轉．

我不關心世界作善惡的人
因空間全不任他們擺布；
我安置你在我心窩裏，
何以終久逃遁了．

"J'aime beau coup l'argent" 你說
眞的，"l'or toujaurs l'or encore!"
你的兩足全在沙裏湮沒了，
但你的臂總從我手裏離開．

阿拉伯人跳舞在陽光下，
你別跳舞在凍港裏．

—180—

去呀，到伸的人之擁抱裏，

你可以得到蜜糖的滋味.

1923 柏林

十七夜

在水銀色的月下，
靜寂爲空間之王；
黑夜長久之痛哭，
於今開始展眉了．

夜潮追趕着微風
接近到淒清的淺堵，
稍微的反射之光，
又使他退後了．

全不　什麼可愛
僅不留心的一錯，
以我油膩的心房，
印上這"不可解說"的勾當？

記憶追隨着
爲馴養之野犬，

—182—

他熄了我臨街的燭光
所以女孩哀哭了.

我吸到宇宙的清澈,
如女人面幀之開張,
我願帶此遠去,
如受傷之獸奔向林間

不幸

我們折了靈魂的花,

所以痛哭在暗室裏.

嶺外的陽光不能晒乾

我們的眼淚,惟把清晨的薄霧

吹散了.呵,我真羞怯,夜鴟在那裏唱;

把你的琴來我將全盤之不幸訴給他,

使他遊行時到處宣布.

我們有愚笨的語言使用在交涉上,

但一個靈魂的崩敗,惟有你的琴

能細訴,————晴春能了解.

除了真理,我們不識更大的事物,

一齊開張我們的手,黑夜正私語了!

夜鴟來了我恐我們因之得到

無端之哀戚.

—184—

短牆的 ……

短牆的延長與低亞,
圍繞着愁思
在天空下的園地
自己開放花兒了.

破鐘兒敲着,
(何以竟不留心!)
欲警有秋夢的人:
起來呀,假如是哀戚.

在單調地過去的夜裏,
惟有她在暗處疾笑,
呵,雲兒輕忽走過,
遂遮斷了我之心路.

回過來,Samsous! Dalila!
你愛情之血的心,

發出孤澀之音，

人以爲死是來了.

爲什麼要撐持？

你的頑健，她的忠實，

能平靜地戰勝

這"功過"之法則麼？

烟在喙裏，

手在袴袋裏，

雖顯出可憐，

但一半同情，一半 timide.

去呀，兄弟，多年的從犯，

風塵的知己，

是時候了，假如

我們欲討論

散步，回憶，

—186—

慈悲或殘酷;

抑戀"明月孤舟

夕陽古樹."

1-1923 Berlin

—187—

"因爲他是來慣了"

人 在 幸 福 窩 裏，

遂 流 血 到 朋 友 之 心，

無 力 去 痛 哭，狂 笑，

寧 歡 聚 在 勾 留 之 夢 底.

何 幸 而 得 一 切 仇 視，

但 有 疾 呼 去 解 釋，

流 利 之 眼 球，

閃 耀 在 本 能 的 情 愛 上.

詩 人 尋 得 一 切 宇 宙 之 諧 和，

武 士 爲 國 王 折 腰，

生 活 在 義 務 上，

那 豈 是 一 無 計 劃?

全 不 能 在 理 性 上 想 到:

"蝶 兒 上 天"與 玫 瑰 的 芬 香，

—188—

黃昏襯着牧童的節奏，
女皇在廢園裏懷古.

"人可以爲某也死，
但生是爲着本身"
永久在地殼上顛沛，
溫暖在光榮之胸膛裏.

不在年歲的關係，
假如人是 Lage
做點忘情的勾當，
報點 "一飯" 的深恩.

這複雜的停頓，
至少給他一個問題:
留意點遠遠的囘聲，
給下萬千淸夜的囘想.

我之生不爲 Combattre le mal,

—189—

不乘僅有的機會，

我願如不幸的人般祈禱，

是誘惑者之逃遁．

她給人懷疑，內省，

終於信仰而服從，

她是慈母之慈母，

唱歌使午晝裏安睡．

我食盡了蠹裏之菓屬，

腿兒更走得委靡，

我的門是長開的，來呀，

作末次慰藉的周旋．

遊 Posedam

就這湖光山色裏，

我們能找尋什麼，

你凋謝的眼裏，

全布着自然傲氣之影．

在時代的陳迹上，

全開着花與菓質，

滿盛着酒肉，

受餉的人悉遠去了．

深黑的鐵板，

灰色的旗旌，

雖似不可解說，

究旣屬了一種類．

燕子去了還來，

（用翅尖拍水）

—191—

他決意勾留麼?

但我們搶了睡眠而站立着!

我們多愛聚會,

更何堪重說 adieu!

死葉在小道上亂飛,

深願我的心不如他們之輕率.

冷多催趕着委敗的秋,

獨遺下淡黃的淺草,

留心你沙上之足印,

晴春將呼喚你的名兒而來,

修長的瘦堤,

遮斷我們的遠眺,

看呀,還有更藍的這一角

柳條何以齊全浴在水裏.

Tanssouci 的故宮,

——192——

孤寂的要哭出來了；

永生不語的欄柵，

亦因監察而倦怠了．

1923.

—193—

Something⋯⋯⋯

Something, anything,

在 生 活 裏 遇 見,

不 及 較 量,

就 結 局 了.

休 止, 親 熟,

仍 是 面 兒 背 着 背 兒,

(任 自 己 的 願 意)

羨 慕 一 切 未 來,

憎 惡 無 理 之 實 現:

夜 裏 還 合 不 着 眼,

是 呀!

這 樁 情 愛,

多 麼 可 惜,

奈 何!

"人 遠 了 信 也 遠 了."

Pas graud'chose,

mais grave

在僥倖的環近,
催可自己插足,
但你!
乘機會的人,
（我們的煩氣）
何以一眼盒着?
未及三十,
不算可怕的年歲.
一概
或者一部,
總應該計劃:
讚美死的人活着,
操刀的英雄自殺了.
奈何!

—195—

幽怨

流星在天心走過，反射出我心片一切之
幽怨．

不是失望的凝結，抑攻擊之窘迫和征戰
之敗北！

在世紀的初年——黃色簾幕之下——
壹羣頹敗的牧人走過，呵，他們多麼喪氣，
假如能到傍晚的陽光之熱．

不得志的歌人，傍近我同走雪花飛處，她
趨着步兒，同時告訴我一切心曲———
有時自己摸手在肘上，去安慰無情之靜
寂．

極北的天空下，兩隊失業的百姓，（髮兒
覆額，憔悴極了）奏着破琴而歌；用西班
牙式的舞蹈去陪襯．

伊們戀着最初的祖先，但找不到去路，遂
和我哭在地殼凹處．

在我的眼下，恐怖可怕之回想，如幼鹿在

—196—

林間走過,因死葉的聲息而戰慄了.

過去與現在

一切機警之過去，

悉在血管裏焚燒，

（記得否，我們的猥慵，）

所有"已往"卽"是仍然."

我們帶着清晨的昏睡，

從這裏望到那裏，

如臨陣之鼓手，

勇氣滿着心頭.

找尋生的來原，與

死了淒寂的情緒.

從 Brandy 的徐醒，

飲到 Bordeaux 的昏醉·

在蒼古的松邊，

遇着金秋之痛哭，

我們麼?不因之停止,
正欲從巷裏捷徑到城裏.

遼闊的海岸,
困乏你披靡的視線,
自然永遠之奇珍,
倩我們管了一部.

黃沙,淺渚,行客之足跡,
和閑散之愁鷗,
——失掉了侶伴的雲,
我們對之神往,呵,神往!

海灣之深處,
一線可怖的白光,
如神話裏所描寫.
委縮我們靈的羽翼

晨間的微風,

—199—

送到鴞兒的啼聲!

不,我們願聽流泉的嗚咽,

和王子的嗤笑.

我們,罪惡之逃遁者,

帝皇宮中之歌人,

欲以孱弱的靈之結合,

跌倒在榮光之下.

滿足了,不幸之要求

上帝,給我們一個總合!

你到枯涸之池沼裏,

死蓮上有我們入世的說明.

23 Charlotten burg

—200—

Encon à toi

在流水潺湲的溪裏，

我聽到你躡步走來，

呵，多麼不光明的行動，

我願你立刻離開這世界.

你說盡一切可愛之話言

惟不曾將手兒接近而戰慄，

死像這裏死病的靈魂，

應在時間上得一整齊的"比重"

朝陽溫暖一切屋瓦，

惟不曾溫到你的心.

呵，真實的婦人，惜大落常套.

Bor gré, mal gré 一個語言的形容.

我的心倒病了，惟不曾傷損其部分，

因為他看見曠野途倨傲了.

—201—

遠去,我不因飢餓孤寂而逃遁,
惟怕你"委靡"的伸展阻我的前路.

且停住,任我們用神話和故事實,
太相像了,假如放肆一點.
希望常你秘密之燄光實現時
你的詩人之心既爲死神之客座.

Berlin

我 的 ……

我的靈魂是荒野的寺鐘，
明白春之蹤跡，
和金秋痛哭的原故，
草地上少女的私語；

行星反照在淺波上，
他們商量各自的美麗，
更有雲兒傲慢地走過．

惜年歲遷移了，
海潮的鬧聲
震了我的耳；
遠方的霧氣
迷離她的兩眼；
牠逐休止了這監察．
呵，我們離這苦痛之鄉
去救殘廢的靈魂，

安放她到春之江畔

——多麼舟楫往來——

夜亦得照舊平靜下去.

—204—

夜 起

我夢見先帝西來的足迹

及老父之頹敗,

呵,他們多麼可怕

探手而摸索在我的胸之深谷裏,

擺動了一切諧和之氣息,

我的心不能再有微笑

在這四壁之圍裏,

無力的光影使他羞赧而灰心了.

的鹹的鹽,關心的眼淚,

在這生命裏——

(Frisoune de désir divin)

轉兩個迴旋以是去了.

mamamr colibri

擁着所愛遠走,

但我從不能奏女神之琴

以救兩頰之深瘦.

為什麼窗子以外全衰死了？

當黨徒叛亂的時候，

西班牙人猶自娛玩着，

以金色的小褂跳躍在人羣中；

女人拍着小鼓

腰兒轉了又轉.

Bourgogne 之鄉的農人，

擁着大帽動作老葡萄陰下，

慘蕭的夜來了，他們

牽着 Antoine 和 Léon 回去.

斜陽鍍金在平原上，

一望無垠，我說："子懷渺渺呀！"

為什麼窗子以外全衰死了？

在老舊之宮的石級裏，

月季低着頭，

蜂兒來往一二次全無意勾留；

在陰濕的長林裏，

摘野菌的低着頭，

天光在枝後諂笑，

禿死的矮木似恨春天不常住．

你乘了驢兒，我鞭着馬兒，

（呵，他們多愛羊耳草）

因我們的生命帶了喪服，

逐眷戀這不死的情愛，

但你多麼痛哭，我的心亦嗚咽了．

感到人事無常麼？

你慘淡的 Regard 終久不長住．

為什麼窗子以外全衰死了？

1-1923

給一個少年朋友

L. Byron

（一）

我與你又別了幾年，

我們雖屬熱烈，但至少是名義上的朋友，

一椿誠實的兒童歡樂，

保存着我們的情感終久一樣.

（二）

但現在，像我這個，你太曉得的，

若何的微細，我心頭總回憶着，

他們曾一次最眷戀的，

轉眼又忘記了.

（三）

像如此的變遷，在心頭展露着，

友誼的主治，若是其稀微：

一月時光的一瞥，或者是一日的，

光陰一去你的心也再疏遠了.

（四）

果然如此我亦不掛慮

—208—

去追怨旣失之的心,

這是自然的罪過,不是你的,

做出這無常,如同你的技巧.

（五）

人類的性靈踱來踱去,

如潮水在海洋上變換,

他們在一個忠寶的懷抱裏,

能如狂風般憤慢麼?

（六）

……   （註）

我們兒童的時光是歡樂的,

我生命的青春早飛掉了,

你亦如此不是孩子了,

（七）

當我們與青春辭別了

去作虛飾的世界的監察之奴隸,

我們長嘆與眞理分袂,

這世界敗損了這神貴靈魂,

（八）

—209—

呵,歡樂的季候!

此心敢幹一切義勇但不說謊,

一切談笑,沒有拘禁,

閃耀在溫柔的眼裏.

　　（九）

不是人的生成就如此的,

人自己是一機械呢

在利害裏可以牽誘我們的希望和

傲氣,一切愛憎在"規定"裏.

　　（十）

同狂亂的人一齊活着,

得來的是我們的罪過和錯亂,

在那些僅可尋求

朋友名義的污損.

　　（十一）

如此是人的分類:

我們能逃出這昏昧的自由麼?

能推倒通常的法則麼?

是人必如此的麼?

—210—

（十二）

不，爲我自己，這灰黑的命運

經過每個生命輪番的洗浴；

人與世界我厭倦了，

這開這活劇，是不關心的．

（十三）

但是你，用那輕而薄的精神，

將片刻發光然後走去，

正如流螢（Glow-warm）閃在黑夜裏，

不能在日間試勾留一下．

（十四）

Alas! 每次昏迷的呼喚，

那王子與食客的聚會，

（因是在美麗的王者之堂裏，

所以一致的歡迎．）

（十五）

你現在是昏暗地增加，

一個羽蟲在羣衆中震動，

用你細小的心之歡喜，

—211—

去迎合虛榮，求娟和傲慢

（十六）

他使你一步一步滑將去，

到容易的興致上癡笑，

如羽虫在草地上走，

花污損了還沒有如何之嘗試，

（十七）

但是那個 Nymph 將贊美這情愛，

那如同潮水上蒸氣的搖動，

從這女人到那女人，

是戀愛光影一閃麼？

（十八）

無論那一個親摯的朋友

都將你容留麼？

你能降下人的心

為友誼來分些狂亂麼？

（十九）

今以後，可不要

再在人羣中去卑賤，

—212—

再悤眛地過活：

成些東西來，不論什沒一總要出色
B-ymeans)

第六首之頭句，譯時遺掉，現無原文在手，是以不
能補上．

1921 譯

—213—

我的歡樂消失在草地裏

Paul Fort.

我的歡樂銷失在草地裏,道上有幸福的
人呀,將你的紙燈盞傘來,助我尋求她。
我的朋友,乘了白馬遠去,我追隨之到平
原上,
我的矢沒有射到他,我的朋友跌倒了在
甲兵裏,夜色來時那騎兵已去了。
我的歡樂銷失在草地裏……(全上)
——"應該殺的不是他,是白色的騎兵,你
將再尋得你活着的歡樂,或者人可以原
宥"
——"我不能射擊他呵,因其是強大的騎
兵,顯出可怕的形樣及利刃放在旁邊。
我的歡樂銷失在艸塩裏………
——"如果你看見的眞是他,你可以放一
十字架在你的歡樂上,你可以一百年內
尋得他在草裏,地上,時候的風雪裏,或者

—214—

發光的夜蟲裏，你可以找得美麗的呵，

我的歡樂銷失在草地裏………」

—215—

你可以去

前人

你可以去,呵,這哀戚是給我的,我老醜了
與你有何相干?我可以忘記你,我三個小
孩尚在,你可以去,這哀戚是給我的.你雖
獨自住着,我們三個小孩仍是肯你,你可
以去,呵,這哀戚是給我的,我有尚藍的眼
睛,他們的是黑暗,他們嫵媚我,以是走去,
呵,這就是你.
你可以去,我仍是忠實,你可以去,呵,這紀
念是爲我的,我的 zean,另一情愛叫着你
去,我的 zean,海是美麗的!

索

前人

為什麼再事糾纏?這是戀愛的必要麼?
那索斷了,女孩,這是你抽得太緊麼?

這是我?是別人呢?這是耶教的上帝麼?
他斷了;是人的罪,誰都曉得的.

情愛,他在心靈裏經過;這索經過了多少
船上的鐵環,所以殘了.

地上的情人太多了,同犯一樣的罪惡;這
情愛的過失亦同他的索一樣殘麼?

為什麼再事糾纏;這是戀愛的必要麼?
那索斷了,女孩,這是你抽得大緊麼

—217—

不 同

前人

你與我不同，是眞的，你如此細小，在我的
面前，但我離開你呵！你就長大了！你在海
上用大的面孔，爬到天空，遮蓋一切，我呢，
我是長時自己爲自己；在我的記憶裏我
不會長大的，我老是一樣的身材在你的
印象裏，就是如此，我美滿的情愛……

你與我不同，是眞的，當你在我面前，你是
細小，但常遠去了，我長念着你在我的記
憶裏．你遮蓋了一切我，海，天空，黑夜，白日，
這是太過了，美麗的情愛！

—218—

母親與兒子

前人

我將前額放在你身上,我的母親!我愛上
三個女人,似乎我做錯了;我愛三個女人
來滿足我自己及那罪惡的心.

我將他們一齊愛了,這是我的隱憂.你一
點不曉得,你;你僅愛你的兒子,但你知道
溺愛的罪過,致兒子如此悲哀.
你曉得一齊戀愛這個男人,呵,你不應發
怒;我懺悔了,媽媽,這使我曉得你愛男人
如同你的兒子一樣,不是罪過.

X

前人

固執文法的規定是危險的:我時而對你
說 Vous,時而對你說 Tu,
'你愛我,正因我愛你,容我與你接吻罷,"
這全在你的態度.

這是全在你的態度.當你用神密的微笑
碎我心時,我將在 Syntaxe〔句法〕上跳
過去.

1921 譯自
Ballade fraucaice.

—220—

XXIV (amour)

Paul Verlaine

你的聲音沈重而微細
究竟是柔和
如同呢絨一般，
這些,在你的談笑裏,
時在黑暗的苔青上
清水一灣流過.

你的笑如此其明澈,
無拘促亦無美飾,
清晰,陰沈及自由,
這些,在搖曳的林下,
鳥兒走過
正震動他的音響.

這些聲,這些笑,
深印我的記憶裏,

—221—

他嘗看見你

死去和活着,

如同殉教者之

光榮的鬮聲裏.

我的憂愁全在你

被這聲音迷妄了

似說 "勇進!"

心裏如狂風般顫動着

那憂愁的興威.

狂風,你的忿怒.

靜罷,我正與友人談着,

他似乎將睡,

但因良好的忠告

旣休歇了……

—222—

春 天

前人

溫愛，粉紅的婦人，

如此天眞的狂喜，

很柔和而細微地

向少女說：

"細草蔓生及花枝怒放，

你的少年是一根野樹，

容我的指頭在蒼苔上亂索，

那裏有玫瑰豔耀着.

容我走在清淨的艸裏

飮那些露珠，

那花是溫愛而且柔潤.

終於是快樂，我的愛，

光輝你誠實的上額.

如同藍色而沈鬱的黎明."

幻　想

前人

婦人疾笑着

深黑在灰色的夜裏,

婦人疾笑着

灰色在深黑裏,

鐘聲響了:

睡罷,我的罪犯,

鐘聲響了:

你應睡罷.

勿作惡夢,

祇可想及你的情愛,

勿作惡夢,

長日美豔着

廣香的月亮!

—224—

人在旁邊鼾睡
　廣香的月亮
　實在呵！

　雲兒走過,
如同火灶般深黑,
　雲兒走過:
　吁,曙光來了.

　婦人疾笑着,
淺紅在藍光裏,
　婦人疾笑着:
　起來呀,你懶人！

　　　　　1921 譯

—225—

二十五. (La fleur de mal)

Ch. Baudelaire

你將全宇宙放在你的小路裏,

污濁的婦人!煩悶使你靈魂殘忍了.

用這簡單的遊戲來練習你的牙,

你應每日有一個心在 Rahelier 裏呵.

你眼睛的照耀如同小店的燈,

或如公衆宴會裏的小檠般閃爍

僅銷去借來的智能,

從不知他們美麗的法則;

機械盲目而蒙眛,在殘酷的播種裏!

有用的器皿,飲世界之血的,

爲什麼你不羞,爲什麼

你不在一切記憶之前灰白你的媚愛?

這罪惡的伸長,或者你以爲是明哲,

你永不在恐懼前稱爲退後.

這自然何時總長大她隱藏的計畫,

你所用的,呵婦人,呵罪惡的女皇,

—226—

——你，卑賤的禽獸——來捏一天才？

呵可惜的 Grandeur! 高貴的恥辱！

二 十 七

用她光彩而閃耀的衣裳,

她行步人以為是舞蹈了,

正同賣技者的長蛇

在竹杆上節奏她動作着.

如同廣闊的原野和沙漠上的蔚藍天空,

對於人類的苦悶,兩者都不能感到,

如同海上漁網的擺動,

她異樣地來展露.

她多情的眼是金屬造成的.

在這奇異和象徵的自然裏,

那不侵的女神與古代的天使混合了.

那裏全是金的,鋼的,如晶般的,光的,

永不會充滿如無用的晨星;

無味之女人的冷酷的嚴威.

—228—

七 十 二

在滿生蝸牛的膩地上，
我願自己挖下一深深的溝，
那裏我可以安插我的老骨
和安睡着如小犬在浪裏.

我厭倦遺囑及墳墓，
或哀求一世界的淚.
生，呵，我寧請那羣鴉
來使宏大的軀殼遍處流血.

呵，詩，無耳目而灰黑的同伴，
將看見自由而喜躍的"死"來到
你，狂放的哲人，枵腐的兒子.

經過我的頹敗然後走去而不反悔，
告訴我還有什麽拘執?
給這無靈的身軀和死人中的死人.

—229—

九十三 (Gitanjali及採菓集)

R. Tagore.

我真去了,兄弟!話一句 " 再見 " 罷,我向
你點點頭然後走開,我還給你門上的鑰
子,及捨去一切要求在屋裏,我但要你委
婉的言語.
我們鄰居也久了,但我所收的總多過我
所分給的.現在太陽西下燃在暗隅的燈
也熄了," 召號 " 正來,我亦預備我的行
程.

九 十 七

當我與你游戲時,我全不究覺你是誰,我
不知道羞怯和傲慢,我的生命是噪率的
呵.
在清晨中間你可以從夢中喚醒我如同
伴一樣,然後領我過一個一個曠野.在那

—230—

些日子我全未留意你所唱的謌的意義;
我僅用我的心去諳音調;我的心按着他
的節奏去舞蹈,現在遊樂的時期既過了,
將有什麼一個突然的記號到來呢?世界
用她的眼睛,靠近你的腳,同他一切星兒
奇怪地立着.

九

當我夜間去幽會時,鳥兒也不唱了,風兒
也息了;街道兩旁的屋無限沈寂.
祗有我的足鐶每步發出聲響,我眞羞呵!
當我坐在欄干上,聽他的步聲時,樹葉兒
也不顫響了河裏的水亦倒睡之衛兵,劍
在膝上.
祗有我的心無限雜亂,我不知如何去平
靜他.
當我愛人來到,坐在我的旁邊時,我全身
戰慄了,且兩眼下垂;夜是黑的,風兒把燈

亮吹熄了,雲兒把星光遮住.

祇有我胸前的寶石閃耀及發光,我不知
如何去隱藏他呵.

四　十

當我來說別的時候,多疑的微笑在你的
眼睛裏.

我亦時想你以爲我不久囘來.

若告訴你眞實,我亦有同樣的懷疑在心
裏,因爲春天去了重來;明媚的月兒沒了
再現;花枝兒年年在幹端變色,這正如我
去了重來見你一樣呵.

但祇可存這空想在片時,不應用不純的
急迫.當我與你說永別的時候,你當爲是
眞實的罷;并容眼淚朦朧在片刻,可以遮
住你眼的深黑.

然後發出伶俐的微笑;當我囘來的候.

四

呵，他們為什麼將我的房屋建築在市場
的城上？
他們停其艇兒在我樹下．
他們去了又來，在屋裏閒遊着，
我坐着偵視他們，我的時候逐過去了；
我不介他們回去，所以我的光陰過了．

他們的步聲日夜在門前響着，
我失望地喊："我不認識你們"
他們有可認識我的指兒及鼻孔的；我脉
裏的血似乎認識他們；有些是認識我的
夢魂．
我不能使他們去，我喚着："到我屋裏來，
可以找不論何人，是，來呀！"

在早晨鐘響在寺裏的時候，
他們拿籃兒來了

— 233 —

他們的足是淺紅,晨間的微光散在他們
面頰上.
我不能使他們去我喚着:"到我園裏來
採花兒,從這邊來呀."

午畫時鐘兒在宮門內響了,
我不知為什沒他們停止了工作,遊散在
我的籬邊;
萎了及無味的花在他們頭上,悽愴的音
響在他們的笛兒.
我不能使他們去我說:"我的樹陰是森
涼,朋友,來呀."

晚上蟋蟀在樹間細鳴,
誰來我門邊輕輕地敲?
我呆視他的面孔不能說一句話,天空的
沈寂全籠罩着.
我不能使我靜寂的客人遠去;我在黑夜
裏注視他的面孔,以是夢兒也過去了.

—234—

七

呵，母親，少年的王子，將在門外經過，晨間
我何能再去工作.

告訴我，應如何飾我的頭髮，及穿什麼衣
裳.爲什麼你奇視着我，母親？

我知他將不一刻注視我的窗櫺；我知他
將在我眼的黃昏裹走過；僅有悠揚的簫
聲，從遠地傳來.但王子將在門外經過，此
時我必穿上最美的衣裳.

呵，母親，少年的王子將經過我們的門口，
晨光正照在他的小車上.

我從面上取下面幕，從頸上取下串珠，然
後投到他的路上去.

爲什麼凝視着我，母親.

我知道他必不拾我的串珠，必被車輪碾
碎，僅留點紅色在塵土裹，永無人知道我
的賜禮是爲誰的.

但少年的王子將經過我的門前，我從胸

上取下珠兒投到他的路上去.

十

新婦且停止你的工作;聽,來客旣到了.聽,
到了麼;他的鍊兒不是正在門邊慢慢地
響.
你的足鐲不要作響;你的步聲不應太急
促去迎他.
新婦且停止你的工作,來客已在夜間到
來了.

不,新婦,這不是惡魔的風,不要害怕,那是
四月的月夜;天階的樹陰變成灰白色;天
空若是甚明澈.
將面幕收下,如果你想燈放到門邊,去;如
果你害怕.
否,新婦,不要害怕;這不是惡魔的風;如他
要問你或你問他一個事情時你可靜悄
悄的將眼兒斂下
莫將你的足鐲亂響;然後持燈去導他;勿

—237—

作聲,如你是羞怯.

新婦,你的工作完了麼?聽,來客既到了,牛
圈裏的燈旣燃了麼?瞳上的草料供給了
麼?你將墨印放在髮上了麼?你的晚裝完
了麼?呵新婦,來客旣到了,停止你的工作
罷!

十 一

這樣來就是,勿因裝飾來遲延,
如捲髮鬆了,或髮的一部分不端正,或腰
帶沒有完整,都不必管呵,
這樣來就是,勿因裝飾來遲延.

來,用那輕快的腳步,走過草地.
如有露珠的長條,或鐘的鈴兒絆到你嫋
嫋的腳上,或你鍊上的珠兒蓉下,都不必
管呵.

來,用那輕快的腳步走過草地.

—238—

雲兒蔽着天空你看見麼？

鶴羣從遠的河岸飛來，强暴的風正吹過

草地．

那多慌的獸羣，正跑到他們村裏的園內

去．

雲兒蔽了天空你看見麼？

你燃你裝飾的燈，全是無用的他臨風一

瞥便滅了．

誰知道你的眼皮是否搽了煙煤？因爲你

的眼如同雨候的雲般黑．

你燃裝飾的燈，全是無用，他要熄的．

這樣來就是，勿因裝飾來遲延．

如花球還未織就．勿管，如腕鍊還沒串好

亦放下罷．

天空如雲蓋住．那是遲了．

這樣來就是，勿因裝飾來遲延．

十 二

如果你是忙碌,且滿你的甕,來呵,到我的
湖裏來;湖水將繞住你的腳,嗚咽他的秘
密.

來,兩的影正倒在沙上,雲兒掛在黑林的
界上;如重髮訴在你眉睫上.

我知道你腳步的音節,因為他們擊着我
的心.

如果你倦了,且隨意的坐下,任你的甕兒
搖蕩在水上,呵我的湖上.

草鋪的平坂是青的,無數野花在其後,你
的思想將突由你黑眼裏跳出,如鳥兒出
自他們的窠兒.

如果你能離開你的游戲,到這水面來,呵
來我的湖上.

任你藍色的大衣放在岸邊,碧水將遮住
你及隱藏你.

浪波將用腳尖兒尖着,來吻你的頸,及在
耳後私語.

—240—

如你要成瘋狂,或跳躍到你的死神裏,來
呵,來我的湖上.

他是冰冷及不可測的深;他同無夢的睡
眠般黑.

那裏的午夜,是一樣歌唱是平靜的.來呵.
來我的湖上,如你要跳躍到你的死神裏.

十 六

手與手握着;眼與眼徘徊着;我們的心開
始諧和了.

那是三月的清夜,henna 的香氣布滿在空
中.我的笛兒放在慢忽的地上,你的花環
正是無限.

你 深黃的面幏,使我昏醉了;你的茉莉花
球使我心戰慄,如同光榮.

這是給與不給的游戲,顯明了,更隱藏着
有些微笑及羞怯,和無用而甜的爭鬧.你

—241—

與我的情愛；和諧音一樣簡單．無神秘在
現在之後；無努力在不可能裏，無陰影在
親密之後，無摸索在深照裏．
你與我的情愛如諧音一樣簡單．

我們不能靜寂裏發出言語，我們不囚希
望的事物伸手在空中．
我們所給與我的滿足了．
我們沒來捏愁憂到至極，來寫蔓愁的昏
醉．
我與你的情愛，如諧音一樣簡單．

十 七

黃鳥在枝頭唱着，使我心也跳舞了．
我們同住一村那是我們歡樂的一片．
她珍貴的小羊來到我們闌裏的艸地上．
如果他們闖進麥田去，我把他們挽在臂
裏．

我們的村名是 Khajana 人叫我們的河
是 Anjana.

催是我們黑在稻田裏.
蜂兒結隊在我們的小林裏正自釀他們
的蜜.
花在荒階上落下,到我們就浴的河裏.
乾 Kusm 的花籃兒,從他們的田裏到我
們市裏.
我們的村名是 Khanjana,人叫我們的河
是 Amjana;我的名字全村都識,他的名字
是 Ranjana.

屋內巷裏的風,正因芒果花而香的.
當他們的麥子熟了,我們田裏的麥也正
開着花,星兒微笑在他的小屋上,也給我
們一樣的光輝.
雨水充滿他們的池沼,也使我們的 Kad-
am林歡喜.

—343—

我們的村名是 Khanjana，人叫我們的河
是 Aujana，我的名字全村都識，他的名字
是 Ranjana.

—244—

Trisfesses.

Fraues Jammes

我有時煩悶,迨忽然想及她遂喜悅了.
但終于愁戚着,因不知道她愛我到如何
程度.
她是有明媚清澈靈魂的少女,她用妒媢
去保守着僅給一人的情愛在心裏.
她在菩提開花以前去的,但她去後花兒
滿樹了,當我見樹枝沒花了我多麼駭異,
呵我的朋友.

一個詩人說當他年少時吟詩如薔薇樹
開花.當我想她時,似乎不枯涸的泉水在
心頭流着………

所有一切不是可哀之夢麼,抑在我生命

裏須再加一次,覺悟到覺悟裏.
抑我仍要在情凝的影裏找尋風與雨的
溫柔及一無用之聲音我不知可能應否,
朋友………

—— 我所愛,你說 —— 我所愛,我答着
—— 下雪了,你說 —— 下雪了,我答着

—— Encore,你說 —— Encore,我答着
—— Comma ga 你說 —— Comme ga 我說.

少頃,你說:我愛你,我說:Plus encore……
—— 夏天完了你向我說 —— 則秋天來
了,我答着.

我們的字句沒有再相同的了.
一天你說:呵朋友,我多麼愛你……

"此是在華麗而衰敗的深秋裏"

—246—

我答着說：重說一句……再……

Lupanars 之底

意大利之 Paolo Buzzi

我們不能說生命是美麗撲哀戚.

昨日我飽食香檳酒與菜蔬.

明天我朽腐在地獄之野.

在日間我們如嬌麗之孩童般保持吾.

刺繡那Lis及寫信給親友.

如遇見一二美少年,便把童貞的愛情交
給他.

在夜間我們赤裸地遊行在人羣裏:

但我們每人帶上煤氣的面幀

我們不曉得何以外間的人如此其輕蔑
我們.

僅有詩人還能鄭重一點.

且說我們是"時間"寺廟裏的技師娘,

及想在我們屋裏安置金與銀的大鐘用

以敲他們的音節.

無已時,無已時,在那邊,城之遠處.

—248—

我 是 誰

A. Polazzeschi

我是誰?

或一詩人?⋯⋯⋯

——一定不是⋯⋯⋯

她僅能用我靈兒的筆寫一奇特的

字:情癡.

我是畫師?

亦否.

她僅在我靈兒的畫板上着:

淒清的色彩.

然則一音樂家?

又何可能.

僅能在我靈兒的樂具奏:

思鄉.

我是⋯⋯⋯什麼?

我安—猿兒在心前.

使看識世界明白些.

—249—

我是誰？
是我靈兒的 Laltimbanque.

任我遊戲

前人

Tri tri tri

Frou frou frou

Thou ihou ihou

Ouhi ouhi ouhi！

詩人盡情在那裏頑耍

不拘音節！

任其遊戲

勿去干犯這窮漢

這等滑稽

使他快樂的

Coucou rourou

Rouroa coucou

Couccourcouroucou！

這等愚蠢

矯情章句。是什麼解說？

—251—

放肆放肆!

詩人的放肆

是我的情緒.

Farafarafarafara

Taratarataratara

Paraparaparapara

Laralaralaralara

你曉得這是什麼?

此是先進的東西

不是牝留的

是別的詩的塵埃.

Boubouboubou

Foufoufoufou,

Friou!

Friou!

但這連音是私有的

何以不如此寫?

—252—

Bilobilobilobilobilo,

Broum！

Filofilofilofilofilo

Flonm！

Bilolou, filolou,

ou

如說此沒有意義是欺人的

是有些東西的意思.

意思是說……·

當人將欲歌唱的時候

我不到一個整句

或一極尋常時事物

呀!所以我喜歡說他.

Aaaaa！

Eeeee！

Iiiii！

Ooooo！

Uuuuu！

—253—

A. E. I. O. U. !

但年青人

告訴我

這個是說明

細小材木濟宏大的火？………

Huise……Huiuse……

Chiou……chiou……chiou

Kohou……kohou……kohou

如何去了解？

你有點自負

似乎寫的是日本字．

Ali, ali, aliar

Riririi

Ri

任去發揮本能

比不做好些

他的頑意是寶貴的

——254——

（中略）

Ahahahahahahah

Ahahahahahahah

然而,我全是合理;

時代旣全變換了:

所有的人不再向詩人:

任我遊戲!

悉在 Autho logie des paites

italiens contemporains.

目　錄

導　言

詩：

—256—

—258—

一九二五年十一月初版

微

雨

每冊大洋六角

作　者　李金髮

編輯者　周作人

發行者　北新書局

印刷者　志成印書館

版權所有
不許翻印

新潮社文藝叢書目錄

(1) 春水 冰心女詩士集 　　　　五角

(2) 桃色的雲 愛羅先珂童話劇魯迅譯 　　七角

(2) 吶喊 魯迅小說集 　　　　七角

(4) 紡輪的故事 孟代童話集CF女士譯 　　七角

(5) 山野掇拾 孫福熙遊記集 　　　　九角

(6) 兩條腿 愛華耳特童話李小峯譯 　　四角半

(7) 陀螺 周作人譯詩歌小品集 　　　八角

(9) 竹林的故事 馮文炳著小說集 　　　五角

花木蘭文化出版社聲明啓事

　　此次《民國文學珍稀文獻集成》出版，有賴各位作者家屬大力支持，慨然允贈版權，逐使這巨大的文化工程得以開展。我社全體同仁在此向各位致以誠摯的謝意！

　　由於民國作者人數眾多，年代久遠且戰火頻繁，我社傾全力尋找，遍訪各地，能夠找到的後人，得其親筆授權者，爲數甚寡。更多的情況是，因作者本人下落不明，連版權情況都無從知曉。

　　因此，我社鄭重聲明：

　　此叢書所錄專著，凡有在版權期內而未授權者，作者家屬可與我社聯繫，我社願奉送相關贈書 50 冊爲報酬，補簽授權協議。

　　望家屬看到此通知後與我社聯繫。聯繫信箱：hml@vip.163.com

花木蘭文化出版社
2017 年秋